Método de ESPAÑOL para EXTRANJEROS

nivel intermedio

Segunda edición actualizada

SELENA MILLARES
AURORA CENTELLAS

Primera edición: 1993
Primera reimpresión: 1995
Segunda reimpresión: 1997
Tercera reimpresión: 1998
Cuarta reimpresión: 1999
Segunda edición actualizada: 2000
Primera reimpresión: 2003
Reedición y actualización: 2007
Reedición: 2009

ISBN: 978-84-89756-48-9
Depósito Legal: M-45904-2009
Impreso en España
Printed in Spain

Ilustraciones:
 Juan V. Camuñas y Carlos Yllana

Diseño y maquetación:
 Juanjo López

Fotografías:
 Archivo Edinumen y Fernando Ramos Jr.

Impresión:
 Gráficas Glodami. Coslada (Madrid)

Editorial Edinumen
José Celestino Mutis, 4. 28028 - Madrid
Teléfono: 91 308 51 42
Fax: 91 319 93 09
e-mail: edinumen@edinumen.es
www.edinumen.es

PRESENTACIÓN

El presente manual está dirigido a aquellos alumnos que deseen estudiar el español como segunda lengua y que tengan ya un conocimiento básico de su gramática y cierta fluidez comunicativa. Se trata, por tanto, del nivel intermedio de una serie de tres volúmenes de español para extranjeros que están estructurados con una línea de continuidad, de modo que el conjunto intenta dar una visión global del objetivo que se plantea. La base que ha impulsado su elaboración está en la experiencia, el contacto con los alumnos y la constatación de sus necesidades y expectativas: ésa es la razón de que se focalice desde los puntos de vista estructural y comunicativo simultáneamente.

Cada una de las doce unidades consta de seis secciones.

En primer lugar, un conjunto de textos y situaciones reales, extraídos principalmente de la prensa, brindan al alumno la oportunidad de observar directamente cuál es el uso del aspecto gramatical al que se dedica la lección, lo que le llevará al plano teórico de un modo inductivo.

A continuación, se presenta un esquema que intenta sintetizar los aspectos más importantes del tema gramatical que se estudia, sin la profundidad de un tratado monográfico pero tampoco con el falseamiento de la excesiva simplificación. El alumno podrá así sistematizar las reglas fundamentales sobre dicho tema.

Se intercalan ejercicios de tipo estructural que permiten poner en práctica las normas estudiadas. Sus soluciones, así como las del resto de las cuestiones de cada unidad, las transcripciones de la sección de comprensión auditiva y los apéndices gramaticales podrán encontrarse en el libro de *Claves*.

Después, un conjunto de actividades comunicativas invita a su aplicación a partir de la práctica de la lengua en situaciones posibles, por lo que constituye, al igual que la primera y la última secciones, un factor relevante de motivación para el alumno.

Siguen textos literarios de autores españoles e hispanoamericanos, escogidos por presentar originalmente estructuras gramaticales afines al tema de la unidad y adaptados a este nivel. Su explotación didáctica incide en tres aspectos: comprensión, reflexión gramatical y ampliación de léxico, con atención a las distintas variantes del mundo hispánico.

La última sección se dedica a la comprensión auditiva de textos periodísticos –también adaptados– sobre temas generales, de modo que el alumno, tras completar el cuestionario sobre aquéllos, puede conversar o escribir sobre el tema que se ofrece.

Nuestro objetivo es aportar un material útil y lo más completo posible para que el alumno pueda acercarse al español con el menor esfuerzo y el máximo rendimiento. Si esto se cumple, esta aventura habrá valido la pena.

Las autoras

NOTA A LA SEGUNDA EDICIÓN ACTUALIZADA

Han pasado algunos años desde que este libro comenzó su andadura como fruto de un proyecto que se sustentaba en la experiencia y también en la ilusión y el entusiasmo.

Hoy su recepción se extiende a numerosos países y crece constantemente: ése ha sido nuestro mejor premio, y también la razón de que nos hayamos decidido a actualizar el trabajo, al compás de los nuevos tiempos. Nuestros lectores tendrán la última palabra sobre los resultados de esta aventura: su opinión es la que importa, y la que ha motivado este paso adelante que ahora llega a sus manos.

Madrid, septiembre de 2000

Lista de las abreviaturas usadas:

Am.	América	Esp.	España
And.	Andes: Ecuador, Perú, Bolivia	Gua.	Guatemala
Andl.	Andalucía	Hon.	Honduras
Arg.	Argentina	Méx.	México
Bol.	Bolivia	Nic.	Nicaragua
Can.	Canarias	N.E.	Norte de España
Car.	Caribe: Cuba, Puerto Rico, República Dominicana	Pan.	Panamá
C.A.	Centroamérica: Guatemala, El Salvador, Honduras, Nicaragua, Costa Rica	Par.	Paraguay
		Per.	Perú
		P.R.	Puerto Rico
		R.Pl.	Río de la Plata: Argentina oriental y Uruguay
Ch.	Chile		
Col.	Colombia	S.A.	Sudamérica
C.R.	Costa Rica	Sal.	El Salvador
Cub.	Cuba	Ur.	Uruguay
Ec.	Ecuador	Ven.	Venezuela

SUMARIO

Usos de
Ser y Estar

SITUACIONES

1. Utilizamos **ser** para definir, y **estar** para expresar localización física. Construye frases según el modelo.

YA ESTAMOS ARRIBA

¿ES ESTO?

2. Con **ser** podemos expresar que ocurre algo en el tiempo. Busca este uso en el texto que sigue ¿Cuándo **es** tu cumpleaños?

La gran batalla será hoy en el congreso

3. ¿Qué puedes decir del uso de **ser** y **estar** en las siguientes frases?

"Yo estoy en la política, pero no soy un político"

Porque lo que allí está ocurriendo es algo espantoso

Nunca es demasiado tarde

No es para tanto

LO QUE ESTÁ EN JUEGO

4. **Estar con** expresa compañía, y también apoyo moral. ¿Cuál de los dos casos tenemos aquí?

...Y POR ESTAS PROPUESTAS ESTAMOS TRABAJANDO

¡ESTAMOS YA HARTOS!

¡MENTIROSO!

¡FUERA!

TRANQUILO, JEFE, YO ESTOY CON USTED.

¡VETE!

¡LARGO!

5. **Es que...** es una estructura usual en español para iniciar explicaciones, excusas, etc. Justifícate ante tus amigos por no haber asistido a su fiesta.

6. También podemos construir preguntas con **¿es que...?** Intenta explicar su uso a partir del ejemplo.

¿Pero es que nadie quiere folletos?, se preguntaba con angustia una azafata ante la avalancha de pins (pequeñas insignias) que le desbordaban el mostrador. Con luces, fosforescentes, pequeñas y grandes, las chapas han sido los objetos de culto estos días.

7. Los estados anímicos pueden expresarse con **estar + ADJETIVO / PARTICIPIO** ¿Qué le ocurre al protagonista? Las siguientes palabras podrán serte útiles:

DESANIMADO • TRISTE • DESESPERADO DESOLADO • ANGUSTIADO • CANSADO

¿Y tú? ¿Cómo estás?

VAMOS JEFE... QUE ESTAMOS EN PÚBLICO

GRAMÁTICA

1.1. SER

- Ante **sustantivos**, **infinitivos** y **pronombres**:

> *Es un hombre extraordinario.* *Este libro es tuyo.*
>
> *Eso es vivir.*

- Con **adjetivos** que indican nacionalidad, origen, religión, ideología:

> *Es dominicano.*
>
> *No me importa si eres católico o protestante.*
>
> *Dice que siempre ha sido demócrata.*

- **Finalidad, destinatario:**

> *La carta es para informar a los empleados.*
>
> *Estos libros son para ti.*

- Con el sentido de *"ocurrir, suceder, tener lugar"* en el **tiempo** y el **espacio**:

> *El accidente fue a las 9 pero la policía no llegó hasta las 10.*
>
> *El concierto será en el Teatro Real.*

- **Pertenencia, origen** y **materia** se expresan con *ser de*:

> *No es mía, es de Ester.* *Somos de Bogotá.*
>
> *Esta mesa es de ébano.*

ESTRUCTURAS

- **Es que...** como inicio de frase, para expresar una explicación o justificación:

> – ¿*Por qué no vienes a la playa?*
> – *Es que no he terminado de estudiar.*

Se usa también para preguntar:

> *¿Es que no lo sabes?* (=¿*acaso no lo sabes?*).

- **Ser** + ADJETIVO + **de** + INFINITIVO:

> *El asunto es difícil de explicar* (=*es difícil explicar el asunto*).

- **Es** + ADJETIVO + **que...**:

> *Es probable que hayas conseguido ese puesto de trabajo.*
>
> *Es cierto que ha estado en Japón.*

- **Érase una vez...** inicia a menudo los cuentos tradicionales:

> *Érase una vez una ninfa que vivía junto a un río de oro...*

1.2. ESTAR

- Con **adjetivos** como *lleno, vacío, contento, descontento, oculto, harto, desnudo, descalzo, satisfecho, insatisfecho...* y con los **adverbios** *bien, mal*:

> *El tesoro está oculto en una isla.*   *La conferencia ha estado muy bien.*

- Presencia, permanencia, **localización física**:

> *Hemos estado en Amsterdam este verano.*

ESTRUCTURAS

- **Estar + gerundio** expresa acción durativa:

> *Siempre está leyendo novelas de aventuras.*

- **Estar con** puede expresar:
  - compañía:

> *Mañana estaremos con nuestra familia.*

  - apoyo moral:

> *No te preocupes, estamos contigo.*

- **Estar por + infinitivo** puede indicar:
  - con sujeto personal, deseo o intención, "tener ganas de":

> *Estoy por hacer una locura.*

  - con sujeto no personal, "estar sin":

> *La casa está por barrer (=sin barrer).*

- **Estar para** indica "estar a punto de" y su uso es más restringido que el de la estructura anterior:

> *Estaba para salir cuando sonó el teléfono.*

  En frases negativas indica carencia de disposición anímica:

> *No está para bromas; se encuentra bastante deprimido.*

Utiliza *ser* o *estar* en las siguientes frases.

1. *Esas cartas* .... *para ti.*

2. *Eso* .... *estudiar y no lo que hacen tus primos.*

3. *Antonio* .... *de Managua y Jaime* .... *de Valparaíso.*

4. *Yo* .... *estudiante, pero trabajo por las tardes.*

5. *Tu hermano* .... *un gran observador.*

6. Esta camisa no .... mía, tiene que .... tuya.

7. ¿Por qué fumas tanto? .... que estoy muy nervioso.

8. Desde que trabaja en esa empresa .... más contento.

9. .... (ella) siempre insatisfecha con todo lo que hace.

10. Siempre (él) .... de juerga con sus amigos.

11. Ahora (yo) .... viviendo con unos amigos en un piso.

12. La tortuga .... debajo de la mesa.

13. Esa caja no .... de plástico, ... de metacrilato.

14. La comida .... por hacer.

15. Eso no .... vivir.

16. El concierto .... muy bien.

17. La visita del Ministro a Grecia .... turística.

18. Hoy (nosotros) .... en el zoo todo el día.

19. El problema .... difícil de resolver.

20. ¿Cuánto tiempo .... (vosotros) en Galicia?

21. Lo que quería decir .... que ese chico no tiene solución.

22. ¿Dónde .... el hospital más cercano?

23. No sé dónde .... las invitaciones.

24. El juicio .... dentro de dos semanas.

25. Hace mucho frío; .... por no salir contigo.

26. El jarrón .... de porcelana china.

27. Lo que me preocupa .... que no sepan dónde .... el informe.

28. El accidente .... a la salida de la autopista.

29. La reunión .... para llegar a un acuerdo.

30. El pájaro no .... en la jaula.

1.3.   CONTRASTE

- **Ser** define al sujeto, **estar** expresa un estado de éste:

    Sonia es muy alegre, pero hoy está triste.

    – Además, **estar** se usa para expresar la experiencia sensorial:

        El café de Colombia es excelente.   Este café está malo.

    – Usamos **estar** con participios que expresan estados anímicos (enfadado, excitado, desespera-do, preocupado, desolado, asustado, aterrorizado...):

        Estoy angustiada porque aún no sé los resultados del examen.

– Sin embargo, usamos **ser** con participios que definen el carácter de una persona *(divertido, aburrido, pesado...)*:

> *Es tan pesado que todos huyen cuando aparece.*

- Con *números* cardinales, **ser** indica número total y **estar**, número parcial:

> *En clase somos veinte, pero hoy sólo estamos doce.*

ADJETIVOS

- **Neutralización.** Adjetivos como *casado, soltero* y *viudo* admiten *ser* y *estar*; el segundo es más coloquial, pero el significado es el mismo:

> *Juana es soltera.*   *Juana está soltera.*

- **Cambios de significado.** Hay adjetivos que cambian de significado con *ser* y *estar*. Éstos son algunos de los más usuales:

	SER	ESTAR
bueno	honesto, noble	con salud/*vulg.* físicamente atractivo
malo	vil, cruel	enfermo
listo	inteligente	preparado
blanco	de color blanco	con la cara pálida
rojo	de color rojo	ruborizado
molesto	molestar	sentirse mal por algo
violento	actuar con violencia	estar incómodo con una situación
despierto	listo, inteligente	que no duerme
atento	servicial, amable	prestar atención
cansado	que cansa	que se ha cansado
interesado	sentirse atraído por valores materiales	sentir interés por algo

PRECIO

- Cuando vamos a pagar nuestra consumición o un artículo preguntamos **"¿Cuánto es?"**, y nos responden: **"Son x euros"**.

- **Estar** alude a un precio variable:

> *¿A cuánto están las manzanas?*   *Están a 2 euros el kilo.*

EQUIVALENCIAS

- En las expresiones coloquiales **ser** equivale a **estar hecho**, aunque esta expresión añade un sentido de resultado:

> *Es un deportista* ➜ *Está hecho un deportista (=se ha convertido en un deportista).*

- Para expresar la profesión se usa **ser**, pero **estar de** indica que la profesión se ejerce sólo temporalmente:

    Es médico ➜ *Está de médico en Granada.*

- Para expresar la materia podemos usar **ser** y **estar hecho de**:

    La jarra es de barro.   *La jarra está hecha de barro.*

- Fecha, estación y día de la semana se expresan con **ser**, pero coloquialmente usamos la expresión **estamos a/en**:

    Es 29 de octubre ➜ *Estamos a 29 de octubre.*

    Es primavera ➜ *Estamos en primavera.*

    Es viernes ➜ *Estamos a viernes.*

    En cambio, hora y partes del día sólo admiten **ser**:

    Es tarde / de día / de noche.   *Son las dos.*

VOZ PASIVA *(v. unidad 5)*

- De agente *(ser + participio)*:

    El cuadro fue pintado por Roberto Matta (indica una acción).

- De estado *(estar + participio)*:

    La pared está pintada desde ayer (expresa el resultado, con sentido durativo, de una acción).

Utiliza *ser* o *estar* según convenga.

1. ¿Por qué no fuiste ayer al cine? .... que tenía mucho trabajo atrasado.

2. .... yo, abre la puerta.

3. ¡Qué alto .... (él) ya!

4. Este ejercicio .... demasiado fácil.

5. .... agradable hablar contigo.

6. La sopa .... salada.

7. El acto de bienvenida .... en el Ayuntamiento.

8. Por poco me atropellas, ¿ .... ciego?

9. .... cansada de soportar a su jefe.

10. No hables con él. .... un chico muy antipático, aunque hoy .... simpático.

11. Cuando la vi me dijo que .... muy contenta con su nueva casa.

12. Tus cosas tienen que .... por algún sitio.

13. Ha decidido no salir porque no .... muy católico.

14. El director .... a punto de llegar.

15. Hoy he comido mucho y .... muy pesado.

16. Luis .... muy sincero con todos nosotros.

17. Ese color .... demasiado claro para ti.

18. El hospital .... abierto todo el día.

19. Mi hermana .... una persona muy habladora, pero últimamente .... muy callada.

20. .... cierto lo que te han contado de mí.

21. No sé si .... (él) listo, pero .... muy trabajador.

22. La iglesia .... cerrada.

23. El documento .... falso.

24. ¿De quién .... el coche que .... mal aparcado en la entrada?

25. ¿ .... muy pesados esos libros?

26. ¿Sólo .... (vosotros) nueve en la reunión?

27. Éste .... un buen vino.

28. María .... angustiada con su nuevo trabajo.

29. .... toda la tarde solo y aburrido.

30. No cojas esa manzana, ... muy verde todavía.

Sustituye las palabras en color por expresiones con *ser* y *estar* con un valor similar.

31. El niño *duerme* tranquilo. ....

32. Los invitados *parecían* satisfechos. ....

33. *Tiene* mucha fuerza. ....

34. El robo *ocurrió* a medianoche. ....

35. Todos los soldados *se pusieron* enfermos. ....

36. Creo que *trabaja* en un hospital. ....

37. Ella *continúa* enfadada con nosotros. ....

38. *Se quedó* con Pedro durante toda la tarde. ....

39. Ahora *reside* en una pequeña casa de campo. ....

40. Enrique *se volvió* loco. ....

41. ¿Dónde *puse* las llaves de tu casa? ....

42. El acto *se celebrará* el sábado. ....

43. *Iba a* decírselo cuando llamaste por teléfono. ....

44. El estreno de su nueva película *resultó* un fracaso. ....

45. Todos *permanecimos* de pie durante la entrega de premios. ....

ACTIVIDADES

1. Utiliza el verbo *ser* para contar cuándo y dónde van a ocurrir o tener lugar los siguientes acontecimientos:

· **La boda de tu hermano:**

· **La fiesta de cumpleaños de tu mejor amigo:**

· **El partido de baloncesto:**

· **El concierto de Andrés Calamaro:**

· **La manifestación por la paz:**

Ahora cuenta a tus compañeros los acontecimientos que van a tener lugar esta semana en tu ciudad. Recuerda que para ello tienes que utilizar el verbo *ser*.

2. Repartid fotos, postales o recortes de prensa con imágenes diversas. Cada uno deberá explicar la suya sin mostrarla, usando *ser* y *estar*. Los demás intentarán adivinarla.

3. Has estado en las rebajas y has comprado todas estas cosas; expresa su finalidad.

- *Un paraguas*
- *Una estantería*
- *Un monedero*
- *Una agenda*
- *Un llavero*

- *Un jarrón*
- *Una raqueta*
- *Un tocadiscos*
- *Una manta*
- *Una escoba*

- *Unos calcetines*
- *Una carpeta*
- *Sobres y sellos*
- *Una papelera*

4. Explica qué cualidades debe tener para ti:

- *Un buen ciudadano*
- *Un buen político*
- *Un buen profesor*

5. Utiliza el verbo *estar* para hablar del estado anímico de estos personajes:

6. Imagina que has tenido un accidente y no recuerdas absolutamente nada. Pregunta a tus compañeros sobre los personajes famosos que se te ocurran:

MODELO

¿Quién es Picasso?

Es un pintor cubista español.

7. Mira las siguientes ilustraciones y haz frases teniendo en cuenta las expresiones de la derecha. Después inventa una historia utilizando todas las expresiones que puedas:

EXPRESIONES:

- **Estar de juerga:** estar de fiesta.

- **Ser uña y carne:** estar muy unidos.

- **Ser el colmo:** ser algo intolerable.

- **Estar hasta la coronilla:** estar harto.

- **Estar orgulloso de:** sentir orgullo y satisfacción por algo.

- **Ser un alma de Dios:** ser muy bueno.

- **Ser mala pieza,** *Col.* **ser mala ficha:** ser malo.

- **Ser de armas tomar:** tener un carácter muy fuerte.

- **Estar a punto de + INFINITIVO:** estar en el momento de empezar una acción.

Al anochecer, cuando llegaron a la frontera, Nena Daconte se dio cuenta de que el dedo con el anillo de bodas le estaba sangrando. El guardia civil examinó los pasaportes a la luz de una linterna para comprobar que los retratos se parecían a las caras. Nena Daconte era casi una niña, con unos ojos de pájaro feliz y piel de melaza que todavía recordaba el sol del Caribe en el lúgubre anochecer de enero, y estaba atrapada hasta el cuello con un abrigo de visón. Billy Sánchez de Ávila, su marido, que conducía el coche, era un año menor que ella, y llevaba una chaqueta de cuadros escoceses. Al contrario de su esposa, era alto y atlético y tenía las mandíbulas de hierro de los matones tímidos. Pero lo que revelaba mejor la condición de ambos era su automóvil. Billy tenía una pasión insaciable por los automóviles raros y un papá con demasiados sentimientos de culpa y recursos de sobra para complacerlo; él nunca había conducido nada igual a aquel Bentley, regalo de bodas. No se había visto otro automóvil como aquél en aquella frontera de pobres.

Cuando el guardia le devolvió los pasaportes sellados, Billy Sánchez le preguntó dónde podían encontrar una farmacia para hacerle una cura en el dedo a su mujer, y el guardia le explicó que la ciudad más cercana era Biarritz, pero en pleno invierno y con aquel viento tal vez no habría una farmacia abierta hasta Bayona, un poco más adelante.

–   ¿Es algo grave? –preguntó.

–   Nada –sonrió Nena Daconte, mostrándole el dedo con la sortija de diamantes en cuya yema era apenas perceptible la herida de la rosa–. Es sólo un pinchazo.

Antes de Bayona volvió a nevar. No eran más de las siete, pero las calles estaban desiertas y las casas cerradas por la furia de la tormenta, y después de muchas vueltas sin encontrar una farmacia decidieron seguir adelante. Estaban dispuestos a llegar esa noche a Burdeos, donde tenían reservada la suite nupcial del hotel Splendid. Pero Nena Daconte estaba agotada, sobre todo por el último tramo de la carretera desde Madrid, que era un camino de cabras azotado por el granizo. Después de Bayona, Nena se enrolló un pañuelo en el anular para detener la sangre, que seguía saliendo. Billy era tan feliz con su juguete grande de 25.000 libras esterlinas que ni siquiera se preguntó si lo sería también la criatura que dormía a su lado con la venda del anular empapada en sangre, y cuyo sueño adolescente, por primera vez, estaba ensombrecido por la incertidumbre.

Gabriel García Márquez (Colombia)
El rastro de tu sangre en la nieve

LÉXICO

- **Melaza:** sedimentos de la miel.
- **Lúgubre:** oscuro y triste.
- **Recursos:** bienes, medios de subsistencia.
- **Hacer una cura:** aplicar a un enfermo los remedios para sanarlo.
- **Anular:** dedo en que habitualmente se lleva el anillo.

CUESTIONES

I.

- Resume el contenido del fragmento e imagina el contexto en que se halla. ¿Cómo son Nena Daconte y Billy Sánchez? ¿De qué país vienen? ¿Cuál es su situación? ¿Cómo crees que puede terminar esta historia? Utiliza **ser** y **estar** siempre que puedas.

II.

- Observa los distintos usos de *ser* y *estar* que se hallan presentes en el texto y analízalos:

  estaba sangrando • era casi una niña
  era alto y atlético • no eran más de las siete

- Intenta descubrir en qué casos se pueden intercambiar *ser* y *estar* y cuál es el cambio de significado que se produce.

MODELO

Estaba dispuesto ➡ estaba preparado, tenía intención de...

Era dispuesto ➡ era persona hábil, capaz de...

III.

- *Matones, arropada, insaciable* y *ensombrecido* son palabras cuyo significado puedes deducir a partir de aquéllas de las que se derivan. Intenta definirlas.

- Halla todas las expresiones relativas a fenómenos atmosféricos y al tiempo, y añade las que tú conozcas.

- Hay muchas expresiones que, como *hacer una cura*, se forman a partir del verbo *hacer*; te damos un listado de las más frecuentes para que construyas frases con ellas:

  – **Hacer caso a uno**, *Am.* dar boleto a uno ➡ prestar atención.
  – **Hacer comedia**, *Am.* hacer tango ➡ hacer una escena.
  – **Hacer un flaco servicio**, *Méx.* hacer la pera ➡ hacer algo malo a alguien.
  – **Hacerse el loco** ➡ fingir que no se sabe nada de un asunto.
  – **Hacer novillos**, *Méx.* pintar venado ➡ no asistir a clase.
  – **Hacer la pascua** ➡ fastidiar a alguien.
  – **Hacer la rosca, la pelota** ➡ adular.
  – **Hacerse el sueco** ➡ fingir que no se entiende algo.
  – **Hacerse de rogar** ➡ poner muchas condiciones.
  – **Hacer de tripas corazón** ➡ armarse de valor.
  – **Hacer el vacío** ➡ no hacer caso a una persona.

HISTORIA DEL TABACO

Lee las siguientes preguntas e intenta comprender todo su vocabulario. Luego, escucha atentamente el texto de esta sección y contéstalas, eligiendo sólo una de las tres opciones que se ofrecen.

1. El tabaco fue descubierto:

- ❑ **A.** el 4 de noviembre de 1492
- ❑ **B.** el 27 de octubre de 1492
- ❑ **C.** el 2 de noviembre de 1492

2. Según Fray Bartolomé de las Casas, las gentes del Nuevo Mundo fumaban para:

- ❑ **A.** emborracharse
- ❑ **B.** cansarse
- ❑ **C.** no sentir el cansancio

3. Rodrigo de Jerez fue condenado por la Inquisición a varios años de cárcel por:

- ❑ **A.** su naturaleza diabólica
- ❑ **B.** echar humo por la nariz
- ❑ **C.** echar humo por la boca y la nariz, lo que lo asemejaba a un ser diabólico

4. Cuando Francis Drake, en 1585, fondeó en las Antillas, buscaba:

- ❑ **A.** oro y plata
- ❑ **B.** tabaco
- ❑ **C.** ambas, A y B

5. Algunos de los grandes fumadores de la historia han sido:

- ❑ **A.** Newton y Beethoven
- ❑ **B.** Wagner y Vivaldi
- ❑ **C.** Bartolomé de las Casas y Bernabé Cobo

DEBATE

FORMAD DOS GRUPOS EN CLASE. UNO DEFENDERÁ EL USO DEL TABACO Y EL OTRO LO CRITICARÁ. NO IMPORTA SI ESTÁS O NO DE ACUERDO; BUSCA TODOS LOS ARGUMENTOS QUE PUEDAS.

El artículo

SITUACIONES

1. El artículo se usa en la mayoría de los casos para acompañar al sujeto en español. Sin embargo, hay algunas excepciones, como los nombres propios de persona o los sujetos con más de un miembro *(Racismo, feminismo y crisis...)*. Asimismo, no es extraño que se suprima en los titulares de los periódicos. Construye frases teniendo en cuenta lo comentado.

> **Racismo, feminismo y crisis social surgen de esta obra, a poco que uno se empeñe en tirar del rabo**

> **Médicos de la "Agrupación Málaga" ayudan en un hospital civil**

> **Una exposición reúne el arte indígena colombiano**

2. El artículo indeterminado puede usarse con valor de énfasis y sentido negativo. Observa la siguiente viñeta y comenta algo parecido de alguna persona que conozcas.

> ¡SOY UN BLANDO, UN BOBO! ¡SOY UN ESTÚPIDO...!
>
> ¡LARGO!

3. Con fórmulas de tratamiento *(señor, profesor, doctor...)* se usa artículo excepto con **don** y **doña**, o si nos dirigimos a esas personas directamente. Intenta ahora explicar los ejemplos que te ofrecemos:

> **La soledad de un don Nadie.**
> **Los señores de marrón.**

4. Las horas se expresan con artículo determinado, pero éste se puede omitir si nos referimos a un período entre dos horas. Busca estos usos en los siguientes textos y después informa a tus amigos de las actividades que habéis organizado para esta tarde. Observa también el uso del neutro *lo* en expresiones como **por todo lo alto** y **por lo menos**.

> **BUENA SALSA**
>
> ¡Aprende en vivo!
>
> Abierto de 10 de la noche a 6 de la mañana...
>
> ¡Por lo menos!

> Este fin de año, pásatelo de miedo en La Cava del Gallo. Una fiesta por todo lo alto, desde las 12:30 h. hasta las 7:00 h., con barra libre, la mejor música, la gente más divertida y la escalofriante Ruta del Terror, abierta hasta las 3 de la madrugada. Y lo más típico: cotillón y chocolate con churros, por sólo 45 euros.

5. En español las partes del cuerpo, así como los objetos personales, no se construyen con posesivo sino con artículo. Ahora imagina que vas al médico: explícale qué partes del cuerpo te duelen.

> ME FALTA UN OJO, UNA MANO Y UNA PIERNA

6. *Lo* puede aparecer ante adjetivos, a los que sustantiva, y también en oraciones con la estructura **lo que + verbo**. Señala esto en los textos y coméntalo.

> ¡TODO EL MUNDO A TRABAJAR!

> LO QUE ME FASTIDIA ES EL POCO TIEMPO LIBRE
>
> SÍ, ESO ES LO MALO

> SÍ JEFE
>
> ¿POCO TIEMPO LIBRE? ¿Y AÚN NO HAS DADO NI GOLPE?

GRAMÁTICA

2.1. EL ARTÍCULO DETERMINADO O DEFINIDO *(el, la, los, las)*

- En español, el artículo determinado acompaña normalmente al **sujeto** de la oración si se refiere a algo que ya conocemos o hemos nombrado antes *(El abogado del que te he hablado es muy bueno)* y también a clases generales *(El hombre es un lobo para el hombre)*.

  - Se suele suprimir cuando el sujeto es un infinitivo:

    Comer manzanas reduce el colesterol.

  - Lo mismo ocurre con muchos refranes y dichos:

    Amor con amor se paga.

  - También se puede suprimir en sujetos con más de un núcleo:

    Belleza y tristeza eran, para Poe, inseparables.

- Acompaña al **complemento directo** para indicar que éste es determinado o específico:

    Compré la enciclopedia (aquélla de la que te había hablado).

  También cuando lo forman nombres no contables en singular, si se refieren a algo conocido. Si no, funciona como partitivo, indica una cantidad indeterminada:

    Compré la cerveza (la que me encargaste).   *Compré cerveza.*

- Se usa después de *ser* en el **atributo** cuando se quiere especificar:

    Es arquitecto.   *Es el arquitecto que hizo nuestra casa.*

- Con **nombres propios**:

  - Para designar a los miembros de una familia se emplea el artículo masculino plural seguido del apellido en singular:

    Llegaron los García.

  - Se usa también ante un nombre propio cuyo sentido se restringe o limita mediante un complemento:

    No conocemos Argentina / la Argentina del interior.

  - Los nombres de ríos, montañas, mares, océanos y lagos llevan artículo masculino:

    El Amazonas; el Everest; el Mediterráneo; el Pacífico; el Ontario.

  - Se usa artículo con fórmulas de tratamiento *(doctor, señor, señora, señorita, profesor, presidente, general...* + apellido, opcional), excepto *don, doña, fray, sor, san, santo, santa* (+ nombre propio, obligatorio):

    El señor García ha recibido una llamada.   *Don Luis no está ahora.*

  - No usamos artículo si nos dirigimos a ellos:

    ¿Cómo se encuentra, señor García?

– Los nombres de personas, ciudades, continentes, países y regiones omiten el artículo:

> Han estado en Bolivia dos veces.

Sin embargo, hay que tener en cuenta que algunos nombres de países admiten el artículo (el Perú, la China) y que hay nombres propios que lo llevan incorporado (La Habana). También hay que recordar que en ocasiones se usa el artículo determinado con nombre propio de persona, aunque se considera vulgar:

> La Carmen no viene hoy.

• **Tiempo:**

– El artículo determinado es obligatorio para expresar la hora:

> Eran las cinco en punto de la tarde.

Pero se puede omitir al expresar un período entre dos horas:

> Abren de 6 a 9.

– Se omite al expresar, con **ser**, días de la semana, fechas y estaciones:

> Es jueves, es 5 de enero, es otoño.

Esto no ocurre cuando **ser** tiene como valor "ocurrir":

> La inauguración será el viernes, el 7 de marzo, en (el) otoño.

– **Años:** decimos en 1996 pero en el 96.

– **Edad:**

> A los 13 años leyó a Víctor Hugo.

• Con **verbos** de lengua y actividades mentales –como hablar, saber, leer, escribir, entender– normalmente se omite el artículo ante complemento directo de lengua o disciplina, pero se usa artículo cuando éste tiene un carácter especificativo:

> Habla francés.   Sabe el francés que aprendió en la escuela.

• Para expresar **precio** se usa una estructura que incluye el artículo determinado:

> Las fresas están a 3 euros el kilo.

• Aparece con el **superlativo:**

> Creo que esta película es la más interesante del festival.

• Con el verbo jugar se usa la preposición a y el artículo determinado:

> Juega muy bien al ajedrez / a la canasta / al baloncesto / a los bolos.

• **A la + adjetivo de nación o región** expresa modo:

> Se despidió a la francesa.   Pagaron a la romana.
>
> Tomaré espinacas a la catalana.   Le encanta el pulpo a la gallega.

Utiliza el *artículo determinado* cuando sea necesario.

1. .... Sres. Vega son unos vecinos muy agradables.
2. ¿Cómo quiere el café, ... Sr. González?
3. Siempre me he bañado en .... Mediterráneo.
4. ¿Conoces .... nuevo sistema de Gobierno?
5. .... problema no es inquietante.
6. Todavía no son .... diez.
7. No he podido traer .... sal.
8. Hoy ya es .... otoño.
9. .... teléfono está estropeado.
10. .... señora del autobús se puso a gritar.
11. La conferencia será .... jueves.
12. .... hablar con los amigos es necesario.
13. Ésa es .... persona que te puede informar.
14. La policía no entró en .... cocina.
15. .... Laura fue a .... Venezuela este verano.
16. No he estudiado .... tema cinco.
17. ¿Has encontrado .... disco que buscabas?
18. Mañana no es .... lunes.
19. .... hacer gimnasia es bueno para la salud.
20. No sabe jugar a .... tenis.
21. ¿Ha llegado .... doña Juana?
22. .... Danubio pasa por Budapest.
23. .... Toledo es una ciudad misteriosa.
24. Tú eres .... hombre más honrado que conozco.
25. Ya están aquí .... muebles que encargaste.
26. Ver .... Andes es una maravilla.
27. ¿Es .... Índico el océano que baña Madagascar?
28. Tú no eres .... andaluz.
29. Mañana es .... día de .... Santa Teresa.
30. ¿Necesita algo, ... Sra. Gómez?

2.2. EL ARTÍCULO NEUTRO (lo)

- Algunos lo identifican con el pronombre *lo* (v. unidad 6). Se utiliza ante **adjetivos** y **participios** (en masculino singular) para transformarlos en sustantivos abstractos; también se usa con **oraciones de relativo** (v. unidad 10):

    Lo fácil ya está hecho.   Lo pasado debes olvidarlo.

    Dijo lo que pensaba, lo cual me parece bien.

ESTRUCTURAS DEL ARTÍCULO NEUTRO

- **Lo + adjetivo / adverbio + que** expresa intensidad y equivale a **qué + adjetivo / adverbio**:

  Te voy a demostrar *lo fácil que* es usar el ordenador (=qué fácil).

  No te imaginas *lo bien que* me siento (=qué bien).

- **Lo de + nombre / adverbio** es una estructura útil para referirnos a algún asunto sobreentendido o que no queremos nombrar directamente:

  Lo de Luis fue vergonzoso.   *Lo de dentro* no me gusta.

  También puede darse con **infinitivo,** aunque es más explícito:

  Lo de estudiar idiomas es bastante duro (=el hecho o asunto de...).

- **De lo más + adjetivo** tiene valor enfático:

  El cortometraje era *de lo más divertido* (=divertidísimo).

- **A lo + sustantivo / adjetivo** puede expresar modo:

  Lleva una gabardina *a lo Humphrey Bogart.*   Lo hizo *a lo loco/a lo tonto/a lo bestia.*

- Expresiones:

  Lo celebró *a lo grande, por todo lo alto* (=con lujo).

  Por lo pronto, ya hemos hecho bastante (=de momento).

  Por lo visto, aquí no se admiten perros (=aparentemente).

  Lo han dicho, *por lo menos,* diez veces (=como mínimo, al menos).

Utiliza el artículo *lo* cuando sea necesario.

1.   Es increíble _____ que cuentas.

2.   _____ prudente es dejar a Luis tranquilo.

3.   Es absurdo _____ que pienses eso de mí.

4.   No sabes _____ bueno que está este chocolate.

5.   Es _____ muy importante esta noticia.

6.   _____ de ese chico ha sido sorprendente.

7.   Por _____ pronto, nos hemos quedado sin trabajo.

8.   No sabía _____ nada de tu ascenso.

9.   Ahora _____ es inútil lamentarse.

10. Esta chica es de _____ más simpática.

11. Dijo _____ primero que se le ocurrió.

12. Tu infancia es _____ muy interesante.

13. No te imaginas _____ que ha dicho Luisa.

14. .... que te ha pasado es .... mejor que te podía pasar.

15. Tu relación con esa empresa es de .... más absurda.

16. .... primero es .... primero.

17. Ya sabes .... enfadado que está contigo.

18. .... bueno de la película es el final.

19. Es .... agradable esta melodía.

20. Es .... malo comer tan deprisa.

21. Nunca dijo .... que ocurrió en esa reunión.

22. Nunca dijo .... qué ocurrió en esa reunión.

23. Ese jeroglífico es .... difícil de resolver.

24. ¿Puedes imaginar .... que te voy a regalar?

25. .... de Antonio no tiene explicación.

26. No puedo recordar .... que pasó.

27. Dijo .... que pensaba venir a vernos.

28. No conocía .... nada de ese escritor.

29. Sentí mucho .... de tu padre.

30. Me alegró mucho .... tu carta.

2.3.   EL ARTÍCULO INDETERMINADO O INDEFINIDO (un, una, unos, unas)

- Indica que el sustantivo al que acompaña es desconocido o indiferente para el hablante, pero lo *individualiza*:

  Vino un señor que quería hablar contigo.

- Después del impersonal *haber* se usa el artículo indeterminado (nunca el determinado):

  Había un libro sobre la mesa (o Había libros...).

  (Recuerda que *haber* como impersonal va siempre en singular).

- Ante *otro* y *cierto* **no** puede usarse el indeterminado:

  Necesito otra impresora (o la otra...).   Hay ciertas cosas que no comprendo.

- Entre *ser* y un *adjetivo* el indeterminado puede expresar:

  – énfasis y sentido negativo: *Eres tonto* ➡ *Eres un tonto.*

  – vaguedad: *Es médico* ➡ *Es un médico.*

- Con números puede indicar *cantidad aproximada*:

  Vinieron unas veinte personas.

Utiliza el *artículo indeterminado* cuando sea posible o necesario.

1. He pasado _____ día maravilloso con todos vosotros.

2. El otro día me habló de ti _____ profesor que te conocía.

3. Hay _____ cosas para vosotros en el comedor.

4. Me ha dicho Elsa que tenía _____ problema.

5. Te lo explicaré _____ otra vez.

6. Aquí está _____ cierto chico que quiere saludarte.

7. Había _____ diez personas en su casa.

8. _____ día de éstos iré a verte.

9. Tu hermano es _____ tacaño.

10. Quiero hacer _____ otra cosa esta tarde.

11. Hay que solucionar _____ cierto asunto que te interesa.

12. Aquella tienda no tenía _____ nada de eso.

13. Sólo he comprado _____ lápices.

14. Dijeron que había _____ asunto pendiente.

15. Hay _____ par de cosas que quiero decirte.

16. Esa chica tiene _____ ojos muy bonitos.

17. No quiero hablar con nadie; tengo _____ mal día.

18. Te han llamado _____ otra vez.

19. Escuché ese disco _____ cinco veces.

20. Sólo pude encontrar _____ pendiente.

21. Ahora no puedo hablar contigo, te llamaré en _____ otro momento.

22. La noticia ha sido _____ bombazo.

23. _____ cierta persona te espera.

24. Juan estará aquí de _____ momento a _____ otro.

25. Salió con ella durante _____ tiempo.

26. Hay _____ mensaje para ti en el contestador automático.

2.4. CONTRASTE

- Desde el siglo XVII es más frecuente el ***uso*** del artículo en español que su ***omisión***. El sujeto y el complemento directo en singular suelen presentar uno de los dos. La diferencia está en que el artículo determinado identifica lo conocido o las clases generales, y el indeterminado individualiza lo desconocido pero sin especificar; la ausencia del artículo indica mayor vaguedad e indeterminación:

  Corregimos los errores / unos errores / errores.

- A menudo encontramos el artículo indeterminado cuando algo se nombra por primera vez y el determinado cuando se vuelve a mencionar, pues ya el oyente lo conoce:

  Llegó un muchacho y todos se volvieron. El muchacho dijo...

- Con **partes del cuerpo, prendas de vestir** y **objetos de uso personal** se emplea el artículo y no el posesivo:

  Movió la cabeza, cogió un abrigo y las llaves, y salió.

- El determinado se refiere a algo preciso y el indeterminado a algo impreciso. Además, el determinado puede tener valor **posesivo** (Me puse la bufanda = la mía) y **demostrativo** (Coge la azul = ésa), mientras el indeterminado puede equivaler a un **indefinido** (Llegaron unos amigos = algunos, ciertos).

- **La de / Una de + sustantivo plural** indica cantidad y énfasis:

  No sabes la de trastos que había en el baúl.

  Encontré una de erratas increíble.

Utiliza el *artículo determinado* o *indeterminado* según corresponda. Si ambos son posibles, explica la diferencia.

1. No me gusta _____ gente mentirosa.
2. Han entrado en tu piso _____ desconocidos.
3. De repente, se levantó, cogió _____ chaqueta y se fue.
4. _____ profesor acaba de salir.
5. Hizo _____ maleta y salió en el primer avión.
6. Había _____ fruta muy mala en _____ supermercado.
7. Los niños metieron _____ pies en _____ agua.
8. Te has puesto _____ gabardina al revés.
9. Últimamente tengo _____ manos muy secas.
10. Sólo invitará a _____ fiesta a _____ amigos íntimos.
11. Es _____ persona muy astuta.
12. Hoy he cometido _____ error muy grave en mi trabajo.
13. ¡Me encanta _____ idea que has tenido!
14. _____ compañero tuyo me ha dado estos libros para ti.
15. Tengo _____ familia maravillosa.
16. _____ día que me marche me despediré de todos con _____ fiesta.
17. _____ día me marcharé y no me despediré de nadie.
18. Me encantan _____ cuadros que pinta tu abuelo.
19. No puedo contártelo, es _____ secreto.
20. Ése es _____ secreto que no podía contarte.
21. Me gustan _____ personas sinceras.
22. Eres _____ estúpido si abandonas tu trabajo ahora.
23. Me han impresionado _____ imágenes que he visto esta tarde en _____ televisión.
24. Me duele _____ poco _____ oído.
25. Estás equivocado. La entrevista es _____ jueves, y hoy es _____ martes.

ACTIVIDADES

1. Pon el artículo determinado a los siguientes sustantivos y después construye una frase con cada uno de ellos. No olvides que ante **a-** y **ha-** acentuadas usamos el artículo masculino (*el arma blanca*, sustantivo femenino), y que hay sustantivos masculinos terminados en **-a**.

...... *poema*	...... *leña*	...... *anilla*	...... *cesto*
...... *aula*	...... *moto*	...... *águila*	...... *caballo*
...... *turista*	...... *tema*	...... *cuba*	...... *jarro*
...... *paz*	...... *día*	...... *pijama*	...... *anillo*
...... *bondad*	...... *ave*	...... *cubo*	...... *cesta*
...... *yegua*	...... *estación*	...... *leño*	...... *ancla*
...... *jarra*	...... *oveja*	...... *clima*	...... *mano*

2. Enumera todas las cosas que te llevarías a una isla desierta en una sola maleta.

· **Un:** _____

· **Una:** _____

3. Imagina que te has comprado una casa junto a la playa; explica cómo la has decorado, poniendo especial cuidado en el uso de los artículos.

4. Ya sabes que hay algunos sustantivos en español que cambian de significado según tengan género masculino o femenino. Lee los siguientes ejemplos y explica la diferencia que hay entre ellos. Después, construye frases.

• *el margen / la margen*	• *el coma / la coma*	• *el vocal / la vocal*
• *el frente / la frente*	• *el orden / la orden*	• *el pendiente / la pendiente*
• *el radio / la radio*	• *el cura / la cura*	• *el corte / la corte*

5. Dibuja o busca un mapa en donde aparezcan los ríos, montañas, mares y lagos más importantes de tu país. Luego, coméntalo con tus compañeros.

6. Mira las siguientes viñetas y explica la presencia o ausencia del artículo:

Madruga don Alonso
con el sol ha salido;
va invitando a su boda
a parientes y amigos;
a las puertas de Moriana...
su caballo ha detenido:
– Buenos días, Moriana..
– Don Alonso, bienvenido.
– Vengo a invitarte, Moriana,
a mi boda el domingo.
– Esa boda, don Alonso,
debería ser conmigo;
pero ya que no lo es,
igual la invitación estimo,
y en prueba de mi amistad
beberás del fresco vino,
el que solías beber
dentro de mi cuarto florido.
Moriana, muy ligera,
en su cuarto se ha metido;
tres onzas de solimán
con acero ha molido,
los ojos de la víbora,
y sangre de un alacrán vivo:
– Bebe, bebe, don Alonso,
bebe de ese fresco vino.

– Bebe primero, Moriana,
que así está establecido.
Levantó el vaso Moriana,
lo puso en sus labios finos;
los dientes tiene menudos,
gotas dentro no ha vertido.
Don Alonso, como es joven,
ninguna gota ha perdido.
– ¿Qué me diste, Moriana,
qué me diste en este vino?
¡Las riendas tengo en la mano
y no veo a mi caballo!
– Vuelve a casa, don Alonso,
que el día ya ha corrido
y tendrá celos tu novia
si aquí te quedas conmigo.
– ¿Qué me diste, Moriana,
que pierdo todo el sentido?
¡Sáname de este veneno:
yo me casaré contigo!
– No puede ser, don Alonso,
que el corazón te ha partido.
– ¡Desdichada de mi madre
que ya no me verá vivo!
– ¡Más desdichada la mía
desde que te he conocido!

Romance anónimo (España)

LÉXICO

- **Estimar:** considerar, atender.
- **Onza:** medida de peso.
- **Solimán:** desinfectante venenoso.
- **Víbora:** culebra venenosa.
- **Alacrán:** escorpión.
- **Menudo:** pequeño.
- **Verter:** derramar un líquido.
- **Rienda:** cada una de las correas que sirven para gobernar al caballo.

CUESTIONES

I.
- El romance es la estructura métrica más popular en lengua española. Éste es de origen medieval, pero los hay de todas las épocas; por ejemplo, recuerda el *Romancero gitano*, de Federico García Lorca. Intenta escenificar éste con tus compañeros; luego, busca y comenta otros.

II.

- Analiza los distintos usos del artículo o su omisión en este texto.
  - **Tiempo** ➡ el domingo.
  - **Complemento directo singular contable** ➡ estimó la invitación.
  - **Incontable** ➡ (ha molido) sangre de un alacrán.
  - **Partes del cuerpo** ➡ las riendas tengo en la mano.

- *Don Alonso* no lleva artículo. ¿En qué casos llevan artículo los nombres propios?

- Señala las diferencias entre:
  - **Don Alonso es joven.**   – **Don Alonso es un joven.**   – **Don Alonso es el joven.**

- *Esa boda debería* **ser** *conmigo.* ¿Qué valor de **ser** tenemos aquí?

III.

- *Tener celos* significa "creer que la persona amada pone su cariño en otra". Construye frases con las siguientes expresiones basadas en el verbo **tener**:
  - **Tener ganas**, *Col.* provocarle a uno ➡ tener deseos de.
  - **Tener en cuenta** ➡ considerar.
  - **No tenerlas todas consigo** ➡ sentir temor o recelo por algo.
  - **Tener que ver** ➡ tener relación.
  - **Tener que** + *infinitivo* ➡ deber.

- Observa las siguientes expresiones basadas en *rienda* y *menudo*:
  - **A rienda suelta** ➡ libremente.
  - **Soltar la(s) rienda(s)** ➡ liberar.
  - **Menudear** ➡ ocurrir frecuentemente; *Méx., C. A., Col., Ven.* vender al detalle; *Arg.* encontrarse a menudo dos personas.

.... niño de cinco años explicaba .... otra tarde a uno de cuatro que entre muchos de ellos se mantiene .... más rigurosa pureza sexual y ni siquiera se tocan entre sí porque saben –o creen saber– que si por casualidad se descuidan y se dejan llevar por .... pasión propia de .... edad, ... fruto inevitable de esa unión contra natura es indefectiblemente .... viejito o .... viejita; que en esa forma se dice que han nacido y nacen todos .... días, ancianos que vemos en .... calles y en .... parques; y que quizá .... creencia obedecía a que .... niños nunca ven jóvenes a sus abuelos y a que nadie les explica cómo nacen éstos o de dónde vienen.

*Augusto Monterroso (**Guatemala**)*
Origen de los ancianos

CUESTIONES

I.

- ¿Cuál es el origen de los ancianos en opinión del protagonista?

- Los recuerdos de infancia son unas veces absurdos, y otras, divertidos. Cuenta a tus compañeros cuáles eran los tuyos, o escribe una composición sobre ellos.

II.

- Rellena los espacios con el artículo correspondiente.

- Busca un ejemplo para cada uno de los siguientes valores:
  - *desconocido, vago*
  - *superlativo*
  - *general, referido a una clase de elementos*
  - *identificador*

III.

- *Contra natura*, "contra la naturaleza", es una expresión latina. Hay muchas otras que se mantienen en español, incluso en la lengua oral; lee el siguiente listado y construye una frase con cada expresión.
  - **Ad hoc** ➡ expresamente para ese fin.
  - **Alter ego** ➡ segunda personalidad.
  - **A priori** ➡ previamente.
  - **A posteriori** ➡ posteriormente.
  - **Curriculum vitae** ➡ relación de los méritos de una persona.
  - **Ex professo** ➡ intencionadamente.
  - **In fraganti** ➡ en el mismo momento de hacer algo.
  - **Ultimatum** ➡ última advertencia o plazo.
  - **Vox populi** ➡ conocido por todos.

LAS LETRAS AMERICANAS

Lee las siguientes preguntas e intenta comprender todo su vocabulario. Luego, escucha atentamente el texto de esta sección y contéstalas, eligiendo sólo una de las tres opciones que se ofrecen.

1. El gran ascenso de la literatura latinoamericana se ha dado en:
- ❏ **A.** los años cuarenta
- ❏ **B.** los años cincuenta y sesenta
- ❏ **C.** los años cincuenta

2. El *boom* de la novela latinoamericana de los años sesenta:

     ❏ **A.** fue una operación comercial y política

     ❏ **B.** recuperó para el mundo a grandes autores como Borges y Rulfo

     ❏ **C.** ambas, A y B

3. Gabriel García Márquez y Mario Vargas Llosa:

     ❏ **A.** pertenecen al núcleo fundamental de este movimiento

     ❏ **B.** surgieron mucho tiempo después

     ❏ **C.** fueron conocidos después del *boom*

4. Cuando se publicó la novela *Rayuela*, de Cortázar, fue:

     ❏ **A.** bien acogida por la crítica

     ❏ **B.** bien acogida por los lectores

     ❏ **C.** un fracaso editorial

5. *Rayuela* es una novela:

     ❏ **A.** experimentalista

     ❏ **B.** tradicional

     ❏ **C.** política

DEBATE

¿CONOCES ALGUNA DE LAS OBRAS DE LOS AUTORES QUE SE MENCIONAN? COMÉNTALA, O CONVERSA SOBRE TUS ESCRITORES FAVORITOS.

Indicativo I.
El presente.
El pasado: contrastes

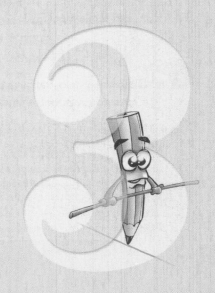

SITUACIONES

1. Tienes frente a ti el argumento de una película, narrado en presente histórico. ¿Podrías transformarlo en pasado?

Cuenta el argumento de la última película que has visto, en pasado y en presente.

> ■ **UN LUGAR EN TU VIDA.** 1992. Argentina. Drama. **Director:** Luis Guillermo Martín. **Intérpretes:** José Pardo del Moral, Celia de Andrés, Luis Tójar. Ginés y Sátur, una pareja de exiliados militantes de la resistencia durante la dictadura militar, de regreso a Argentina deciden crear una emisora de radio. La tarea no es fácil, tienen que luchar contra poderosos intereses económicos. Mayores 18 años. Multicines El Refugio (Sala 2) y Numen Cinema.

2. ¿Qué puedes decir sobre el uso del pretérito perfecto *(he hablado)* a partir de este texto?

> ## Sueños y más sueños
>
> *Imaginar los sueños de los otros puede dar mucho de sí en literatura. Antonio Tabucchi lo ha hecho en su último libro publicado en Italia, **Sueños de sueños**, donde ha entrado en el mundo onírico de veinte personajes a los que admira, desde Pessoa (por supuesto) a Goya, de Rimbaud a García Lorca, de Apuleyo a Leopardi.*

3. Las acciones habituales en el pasado se expresan con el pretérito imperfecto *(decía)*. Después de leer el texto, cuenta a tus compañeros cómo eras cuando tenías 10 años, a qué jugabas con tus amigos, qué te gustaba hacer...

> "Le atraían los hechos y las gentes. No hablaba casi nunca de ideas abstractas, ni proclamaba verdades ni teorías sobre el mundo, la política, el bien o el mal"

4.

Lo habitual se expresa en presente de indicativo *(hablo)*. ¿Qué haces tú normalmente desde que empieza el día hasta que acaba?

> "Yo me levanto temprano, me siento frente al mar con una taza de té y empiezo a pensar que todo el resto del mundo está a mis espaldas"

5. Observa el contraste de indefinido e imperfecto de esta viñeta e intenta explicar ambos usos.

6. Observa el uso del pretérito pluscuamperfecto *(había hablado)* en este texto de Isabel Allende y después intenta explicar su uso.

> Los indios observaron esas arrogantes ceremonias un poco sorprendidos, pero ya les habían llegado noticias sobre aquellos barbudos guerreros que recorrían el mundo con su sonajera de hierros y de pólvora, habían oído que a su paso sembraban lamentos y que ningún pueblo conocido había sido capaz de hacerles frente, todos los ejércitos sucumbían ante ese puñado de centauros. Ellos eran una tribu antigua, tan pobre que ni el más emplumado monarca se molestaba en exigirles impuestos, y tan mansos que tampoco los reclutaban para la guerra. Habían existido en paz desde los albores del tiempo y no estaban dispuestos a cambiar sus hábitos a causa de unos rudos extranjeros.

7. ■ Utilizamos el pretérito indefinido *(hablé)* para expresar acciones puntuales que comienzan y terminan en el pasado. Narra en pocas frases la biografía de algún personaje interesante.

GRAMÁTICA

3.1. PRESENTE *(hablo)*

- Es la forma verbal más universal en cuanto a su significado, ya que puede expresar acciones actuales, pasadas, futuras o atemporales, así como órdenes.

- Lo *actual*:

  – Lo que está sucediendo en el momento de hablar; se puede sustituir por **estar + gerundio**:

  – *¿Qué haces?*
  – *Leo (=estoy leyendo) el periódico.*

  – Lo habitual (incluye, por tanto, lo pasado que continúa en el presente):

  Siempre me levanto a las siete y media.

  – También puede expresar una acción que no es habitual, pero que empieza en el pasado y continúa en el presente:

  Hace días que María no viene a clase.

- *Futuro* (normalmente, con alguna expresión que indique futuro, como *el próximo sábado, esta tarde, mañana)*:

  Las próximas vacaciones nos vamos a Praga.

- *Pasado.* Se trata del llamado presente histórico, útil para expresar hechos pasados de un modo más fluido:

  Nebrija publica la primera gramática española en 1492.

  También se usa coloquialmente:

  Ayer vi esa película. Trata sobre un chico que estudia informática y consigue acceder a los grandes secretos del Gobierno. Entonces lo descubren…

- Lo *atemporal*:

  La Luna gira alrededor de la Tierra.

- Puede servir para dar *órdenes*, coloquialmente. Presupone una situación de superioridad –y ausencia de cortesía– del que habla:

  Vas a la tienda y me traes cuatro paquetes de folios.

Sustituye el verbo en color por una forma de presente.

1. *Este verano estudiaré en Roma.*
2. *¿Con quién estás hablando?*
3. *Estoy hablando con mi jefe.*
4. *Llámame temprano, y dime si puedo contar contigo.*

5. Este mes no *está lloviendo* mucho.

6. La semana pasada vi la película que me recomendó tu hermano. *Era* muy aburrida.

7. La próxima vez *irá* con vosotros de vacaciones.

8. No me ha saludado. ¡*Será* estúpido!

9. Siempre *estoy hablando* por teléfono.

10. La próxima semana *empezarán* las clases de guitarra.

11. Nunca sé lo que *estás haciendo*.

12. Hoy *va a salir* muy temprano de clase.

13. *Baja* a la portería y *pregunta* por el portero; luego, *dime* lo que te han dicho.

14. Mañana *iré* a verte y *tomaremos* té.

15. *Estoy leyendo* todos estos libros para poder hacer un trabajo.

Expresa una acción habitual, futura o pasada, con el tiempo presente.

MODELO   Venir   **Siempre vengo muy temprano** (acción habitual)
Mañana por la mañana venimos a verte (acción futura)
Hace días que no vienes por aquí (acción pasada)

16. Levantar(se)

17. Suceder

18. Ir

19. Hablar

20. Venir

21. Comer

22. Escribir

23. Subir

24. Llamar

3.2. PASADO: CONTRASTES

3.2.1. PRETÉRITO IMPERFECTO / PRETÉRITO INDEFINIDO (hablaba/hablé)

• La acción repetida en el pasado, si es ***habitual***, se expresa con imperfecto, pero si sucede un número determinado de veces, usamos indefinido:

> *Iba a clase por la tarde, aunque dos días (o un día...) falté.*

• En el pasado, la ***descripción*** se expresa con imperfecto y la ***narración*** con indefinido:

> *Ayer vi a Julia. Llevaba un vestido verde y parecía contenta.*

- Cuando expresamos una acción pasada que dura (no importa cuánto) y otra que es puntual, la primera va en imperfecto y la segunda en indefinido:

    Salía de casa y, de pronto, sonó el teléfono.

En general podemos utilizar la siguiente regla práctica: el indefinido indica que una acción es **puntual**, que termina, y el imperfecto la presenta en su **duración**. En este sentido es importante la actitud del hablante, que puede presentar la acción objetivamente (con el indefinido) o "desde dentro" (con el imperfecto) y ése es el matiz que distingue las siguientes oraciones:

    Hizo lo que quiso.   *Hacía lo que quería.*

3.2.2. PRETÉRITO IMPERFECTO *(hablaba)*

- **Cortesía**, con valor de presente:

    Quería pedirle una carta de presentación (=quiero pedirle...).

- **Futuro** en relación con el pasado; equivale al condicional:

    Me dijo que venía hoy (=me dijo que vendría...).

- Puede expresar **sorpresa** en el presente:

    ¡Ah!, ¿pero tú estabas aquí? (=acabo de descubrir que estás aquí).

- Los **estados** emocionales y actividades mentales en el pasado normalmente se describen con imperfecto:

    Estaba muy triste. Sabía que no lo conseguiría nunca.

    Lo mismo ocurre para presentar una escena física que podemos visualizar:

    Era una noche de invierno. Hacía un frío terrible y había mucha nieve.

    El sonido del viento era sobrecogedor y nadie se atrevía a salir...

Pon el infinitivo en imperfecto o indefinido según convenga.

1. *Cuando (llegar, nosotros) .... (estar) .... lloviendo.*

2. *Ayer (ser, tú) .... un maleducado con mis invitados.*

3. *La semana pasada (renovar, yo) .... el carné de identidad.*

4. *No pude verla bien, pero creo que (ser) .... ella.*

5. *(Jubilarse, él) .... el mes pasado.*

6. *A veces (comer, ellos) .... a las cuatro de la tarde.*

7. Cuando (salir, yo) .... de trabajar, (encontrarse, yo) .... con unos amigos y (irse, yo) .... con ellos a tomar una cerveza.

8. (Querer) .... pedirle un favor.

9. Ningún sábado (tener, él) .... clase.

10. El otro día (soñar, yo) .... que (ser, ella) .... pianista.

11. Me dijo que (querer, él) .... verte hoy.

12. Ayer (ponerse, yo) .... el jersey al revés.

13. Como (andar, él) .... muy despacio (pensar, yo) .... que le (suceder) .... algo.

14. Todos los días (dar, ella) .... un paseo alrededor del lago hasta que (cambiarse, ella) .... de casa.

15. El fin de semana pasado (correr) .... 10 kilómetros.

16. No puedo recordar lo que me (decir, tú) .... ayer.

17. Por favor, ¿(poder) .... usted ayudarme a cruzar la calle?

18. Cuando (estar, nosotros) .... cenando, (oír, nosotros) .... una fuerte explosión.

19. Ayer, cuando (intentar, yo) .... hablar por teléfono me di cuenta de que (estar) .... estropeado.

20. Me (comentar, él) .... el domingo pasado que (querer, él) .... ir a la fiesta.

21. No te molestes en preguntar, no (dejar, ellos) .... ninguna dirección.

22. Ayer (estar, ella) .... muy cansada al volver del gimnasio.

23. (Hacer) .... un frío terrible en aquella habitación.

24. Ayer (estar, yo) .... con Ana y (parecer, ella) .... muy feliz.

25. Me dijo que (llegar, él) .... con retraso.

3.2.3. PRETÉRITO PERFECTO / PRETÉRITO INDEFINIDO (he hablado/hablé)

- Ambos expresan una acción terminada, pero hay dos grandes diferencias:

  1. Si en la frase hay una expresión temporal, usaremos **pretérito perfecto** si indica tiempo no terminado (este mes, hoy, este año...), y **pretérito indefinido** si expresa tiempo ya terminado (ayer, el año pasado, el domingo pasado...):

  Ayer estudié mucho, pero hoy no he hecho nada.

  2. Si no hay expresiones temporales en la frase debemos tener en cuenta la distancia de ese pasado con respecto al momento actual; es un criterio más subjetivo. El **pretérito perfecto** expresa un pasado cercano y equivale frecuentemente a *acabar de + infinitivo*. El **pretérito indefinido** expresa un pasado que el hablante considera más lejano:

  He escrito varias cartas (=Acabo de escribir varias cartas).

  Escribí varias cartas (El hablante se siente más distante de la acción).

- Como **regla práctica** podemos decir que, si no hay otras indicaciones temporales, con las expresiones *todavía, ya, aún, nunca, jamás* y *siempre* se prefiere el perfecto al indefinido:

  Todavía no he terminado la carrera.   *Ya he visitado el Museo del Prado.*

  Jamás he conocido a una persona tan fea.   *Siempre he sido fiel a mí mismo.*

Pon el infinitivo en pretérito perfecto o indefinido, según corresponda.

1. *Este verano no (estar, ellos)* .... *en la playa.*
2. *La semana pasada, (encontrar, él)* .... *trabajo en una editorial.*
3. *Aún no (tener, nosotros)* .... *noticias de lo sucedido.*
4. *Hoy (hablar, ellos)* .... *con el director para pedirle un día libre.*
5. *Anoche no (poder, nosotros)* .... *dormir, porque había mucho ruido.*
6. *Ya (aprender, yo)* .... *a preparar granizados de limón.*
7. *Este año los impuestos (subir)* .... *mucho.*
8. *(Conseguir, ella)* .... *adelgazar 3 kilos en un mes.*
9. *Tú siempre (llevar)* .... *a tu casa a personas de confianza.*
10. *Ayer (ser)* .... *el cumpleaños de su novia.*
11. *Este año, no (poder, yo)* .... *estudiar alemán por la tarde.*
12. *Todavía no (comenzar)* .... *el carnaval.*
13. *¡Vámonos! Ya (esperar, nosotros)* .... *demasiado tiempo.*
14. *Todo (suceder)* .... *de repente.*
15. *Hoy (ser)* .... *un día estupendo.*
16. *Ayer (pagar, yo)* .... *todas mis deudas.*
17. *El verano pasado (dedicarse, ella)* .... *únicamente a la pintura.*
18. *Esta vez no (entender, vosotros)* .... *nada.*
19. *Como ayer hacía mucho calor nos (ir)* .... *a bañar a la piscina.*
20. *El lunes pasado (intentar, yo)* .... *decírtelo, pero no me (escuchar, tú)* ....
21. *No (volver, ella)* .... *a ver a su familia desde que (marcharse, ella)* .... *de su casa.*

3.2.4. PRETÉRITO PLUSCUAMPERFECTO *(había hablado)*

• Indica una acción pasada anterior a otra acción del pasado:

> *Me comentó que se había mudado.*

PASADO		PRESENTE	FUTURO
se había mudado	comentó	**x**	

Pon el infinitivo en una forma correcta de pretérito indefinido o pluscuamperfecto.

1. *El año pasado (gastar, yo)* .... *mucho dinero en arreglar el coche.*
2. *Me dijo que (ver, él)* .... *una pelea callejera.*
3. *El domingo pasado (presenciar, yo)* .... *un atraco.*
4. *Sé que ayer no me (llamar, ellos)* .... *porque (estar, yo)* .... *todo el día en mi casa.*
5. *Cuando llegamos a la exposición ya (cerrar, ellos)* ....
6. *Me (decir, ellos)* .... *que ese chico era muy divertido.*

7.   Me enseñó lo que (hacer, ella) .... durante el otoño.

8.   En el momento en que (saber, yo) .... la noticia, (ir, yo) .... a darle la enhorabuena.

9.   Me comentó que nunca (ir, él) .... a un concierto.

10. Cuando me acosté, ya (amanecer) ....

11. Cuando vi a Juan me comentó lo que (suceder) ....

12. No te llamé porque me (decir, ellos) .... que ya (salir, tú) .... del trabajo.

13. El año pasado (conseguir, nosotros) .... una beca para estudiar en el extranjero.

14. ¿Qué (hacer, tú) .... ayer por la tarde?

15. Nos informaron demasiado tarde y no (poder, nosotros) .... hacer nada.

16. El concierto ya (empezar) .... cuando (ellos, llegar) ....

17. Como el día anterior (nevar) ...., nos (ir) .... a hacer muñecos de nieve.

18. Me confesó que nunca (cocinar) .... para tanta gente.

19. En aquel momento (pensar, yo) .... que me quitarían el carné de conducir.

20. Cuando llegué, los manifestantes ya (cortar) .... la calle.

21. Ayer (estallar) .... una bomba cerca de aquí.

Pon el infinitivo en una forma del pasado:

22. Ayer (acostarse, ellos) .... a las cinco de la madrugada.

23. A las tres todavía no (terminar, nosotros) .... de comer.

24. Cuando (ser, yo) .... pequeño, (vivir, yo) .... a las afueras.

25. El taxista (tener) .... barba y bigote.

26. Esta mañana (saber, yo) .... lo mal que lo estás pasando.

27. Ya (encontrar, ellos) .... los cuadros que (robar) .... la semana pasada.

28. La gente (correr) .... en todas las direcciones.

29. Me dijo que ya (ver, ella) .... esa obra.

30. Siempre (decir, él) .... lo que (pensar, él) ....

31. (Querer, yo) .... hablarte de un asunto importante.

32. (Marcharse, él) .... temprano, porque (tener, él) .... una cita.

33. Cuando (llegar, yo) .... a casa, los pintores ya (irse) ....

34. Ayer me di cuenta de que (perder, yo) .... la agenda.

35. Nunca (conocer, yo) .... a una persona tan inteligente.

36. El Greco (ser) .... un gran pintor.

37. Me explicaron que (tener, tú) .... que salir por la ventana.

38. Ya me (avisar, ellos) .... que no (tener, ellos) .... problemas al cruzar la frontera.

39. (Estar, él) .... muy preocupado por el futuro.

40. ¿Qué (aprender, tú) .... esta tarde en la academia?

41. Todavía no (conseguir, yo) .... las entradas para el concierto de esta tarde.

42. (Haber) .... mucha gente en la panadería y no (poder, nosotros) .... comprar el pan.

ACTIVIDADES

 1. Cuenta lo que haces habitualmente:

- *Cuando terminas de comer*
- *Cuando sales de clase*
- *Un domingo por la mañana*
- *Un sábado por la noche*
- *Los fines de semana*

 2. Tus compañeros y tú formáis parte de un equipo periodístico y tenéis que completar las siguientes noticias de última hora:

> *LA CRISIS SOBRE EL MANTEL*

> *CONTAMINACIÓN EN DESCENSO*

> **TODOS CONTRA TODOS**

> Miles de personas exigen la paz

 3. Utiliza el presente para contar lo que vas a hacer:

- *Esta tarde*
- *Mañana*
- *El próximo mes*
- *Dentro de dos días*
- *El último día del año*
- *En Navidad*

 4. ¿Qué ha sido lo más importante que te ha ocurrido este mes? ¿Y este año? ¿Y el año pasado?

 5. Observa los distintos usos de las formas de pasado en estas biografías. Transforma en pasado el presente histórico de la historia de Goldoni. Luego, elige un personaje y construye su biografía en pasado.

GÓMEZ DE LA SERNA, RAMÓN

España, 1888-1963; escritor.

Uno de los más geniales escritores en lengua española de este siglo. Genial, pero desmesurado, Ramón desperdigó, y a veces desperdició, su talento en miles de páginas, en libros y en periódicos. Así escribió obras inclasificables, como *El rastro* y *El circo*; biografías imposibles y hermosas, como *Goya*, sin olvidar su propia autobiografía (*Automoribundia*); ensayos increíbles, como *Sobre lo cursi*; novelas excepcionales como *El torero Caracho* o *La Nardo*, además de millares de greguerías, esa invención por la cual era capaz de encerrar mundos enteros en una sola frase. Vanguardista de la primera hora, Ramón es imprescindible por la riqueza de su imaginación. Leerlo es una gran fiesta donde a veces hay invitados vulgares o innecesarios, pero una fiesta al fin.

LA ESENCIA DEL TEATRO

1707, 25 de febrero: Hijo de Julio y Margarita Salvioni, nace Carlo Goldoni en Venecia. Estudia tres años en Perugia, y en 1720 es enviado a la Escuela de Filosofía de los dominicos de Rímini.

1722: Pasa a vivir a Chioggia con su familia. Su padre se arruina, por lo que ejercerá como médico, profesión hacia la que orientará a su hijo.

1723: Ante el desinterés de Goldoni por los estudios de Medicina, ingresa en el colegio Ghislieri de Pavía para dedicarse a las leyes. Allí pasa tres años hasta que es expulsado y devuelto a Chioggia.

1731: Muere su padre. Obtiene la licenciatura y comienza a ejercer en Venecia, ciudad que se ve obligado a abandonar debido a ciertos escándalos amorosos.

1734, 25 de noviembre: Se representa "Belisario" en Venecia por la Compañía Imer, que lo convierte en su poeta oficial.

1736: Se casa con Nicoletta Connio, a la que conoce en una de sus giras. Después de su matrimonio se distancia de la "Commedia dell'arte".

1748: Termina su "período de preparación" al ser contratado por la Compañía Medebach. Durante 14 años representa en los teatros S. Angelo y S. Lucas importantes comedias.

1762: Recibe un contrato de la "Comedia Italiana" de París por dos años. Se despide de Venecia con "Une delle ultime sere di carnevale".

1770-1776: Se establece en Versalles como agregado de la Corte para enseñar italiano. A pesar de las limitaciones de la escena francesa, escribe alguna obra.

1784-1787: Escribe sus "Memorias". Aun añorando Italia, vivirá seis años más en París, marcados por su escasa salud y falta de pensión.

1793, 6 de febrero: Muere en París en su casa de la calle de San Salvador.

TEXTOS

Martín (construir) .... jaulas. Durante el recreo, mientras los demás niños (jugar) .... en el patio del colegio, Martín, tras los cristales de la ventana de la clase, (construir) .... jaulas. En casa, el hermano de Martín, el recién nacido, (dormir) .... casi todo el día.

Tanto (acostumbrarse) .... el recién nacido a la presencia de Martín mientras (dormir) .... que, en cuanto éste se (ir) ...., no (poder) .... conciliar el sueño. Martín (dejar) .... de acudir a la escuela y, paciente, (permanecer) .... horas y horas velando el sueño de su recién nacido hermano. Éste, a los cuatro o cinco meses, (seguir) .... siendo un recién nacido porque no (crecer) .... Martín (continuar) .... construyendo jaulas. Sus padres (comentar) .... que algún fallo (deber) .... de existir en las jaulas construidas por su hijo, puesto que ninguno de los muchos pájaros que le (regalar) .... al niño (permanecer) .... en ellas. Pero Martín (seguir) .... construyendo jaulas convencido de que, algún día, no muy lejano, encontraría un pájaro para ellas.

El recién nacido (dormir) .... durante casi todo el día bajo la atenta mirada de su hermano. Martín (estar) .... terminando la jaula. El médico (decir) .... que el niño no (crecer) .... porque (nacer) .... débil y enfermizo. Cuando le (poner) .... inyecciones al pequeño, Martín (cerrar) .... los ojos, no (querer) .... verlo sufrir. El recién nacido (proferir) .... un quejido parecido al lamento de un pájaro. La madre no (poder) .... reprimirse y (exclamar) ....: ¡Pobre pajarillo, pobre pajarillo mío!

Martín (velar) .... los sueños de su recién nacido hermano. ¡Qué bueno es, cómo lo quiere!, (decir) .... los padres al ver que Martín (intentar) .... hacer comer a su hermano y le (dar) .... miguitas de pan y unos granos amarillos parecidos al alpiste. Martín (extender) .... la palma de la mano y el recién nacido (picotear) .... algunas miguitas.

Pero a pesar de los esfuerzos de todos, el recién nacido no (aumentar) .... Por el contrario, (parecer) .... disminuir. Martín (permanecer) .... junto a la cuna, vigilando al recién nacido, con la mirada fija en él. Al fin, (terminar) .... la jaula.

La (colocar) .... en la ventana y al día siguiente (llegar) .... un pajarillo, pequeño y raquítico. Martín (ocuparse) .... de cuidarlo. De vez en cuando, (subirse) .... a una silla que le (proporcionar) .... la altura suficiente para alcanzar la jaula, y (extender) .... la palma de la mano hacia el pájaro. El animal (sacar) .... el pico por entre los barrotes de la jaula y (picotear) .... el alpiste y las migas de pan ofrecidas por Martín.

El pájaro (ser) .... muy pequeño, sí, pero Martín cuidaría de él ahora que (tener) .... tiempo libre, pues ya no (estar) .... obligado a velar a su hermano recién nacido, quien (disminuir) .... tanto que (acabar) .... por perderse o, quizás, por volar, llevado por el viento.

Ana María Moix (España)
Martín

CUESTIONES

- **Proferir:** emitir, pronunciar.
- **Quejido:** lamento, expresión de dolor.
- **Miga:** parte interior y más blanda del pan.
- **Alpiste:** semilla que sirve de alimento a los pájaros.
- **Picotear:** acción de golpear las aves con el pico.
- **Raquítico:** débil, endeble.
- **Barrote:** barra gruesa.

I.

- La historia de Martín es un relato fantástico. ¿Por qué? ¿Conoces tú algún relato de este tipo? Escríbelo o cuéntalo; invéntalo si no recuerdas ninguno.

II.

- Rellena los espacios en blanco con la forma de pasado correspondiente y explica la razón de tu elección.

- Puedes realizar otra práctica con los pasados a partir del texto de Isabel Allende que encontrarás en la unidad 8.

III.

- Observa las estructuras que siguen:

> *estar + gerundio*
> *seguir + gerundio*
> *continuar + gerundio*

¿Qué sentido tienen? Dedúcelo desde el texto tras hallar los ejemplos que en él se encuentran.

- *Deber de + INFINITIVO* no significa lo mismo que *deber + INFINITIVO*. En el primer caso se expresa probabilidad y en el segundo obligación:

> *Debe de ser muy tarde. Debes irte ya.*

Construye frases similares.

- Construye una frase con cada una de las siguientes expresiones basadas en el verbo *estar*:
  - **Estar a la expectativa**, *Ch.* catiar la laucha ➡ estar esperando algo.
  - **Estar chiflado**, *Ch.* tener los alambres pelados ➡ estar loco.
  - **Estar de malas**, *Ven., Méx.* tener el santo a espaldas, *Col., And.* estar salado ➡ tener un momento o una racha de mala suerte.
  - **Estar en los huesos**, *Ven.* estar hecho un violín ➡ estar muy delgado.
  - **Estar hecho una furia**, *Am.* estar como agua para chocolate, estar hecho un chivo, *Ch.* estar hecho un quique ➡ estar enfurecido, fuera de sí.
  - **Estar destrozado**, *Am.* estar arrancado, *Méx.* estar bruja, *Ch.* estar pato ➡ estar completamente roto.
  - **Estar todo patas arriba**, *Am.* ser todo un verdadero relajo ➡ estar todo completamente desordenado.

LOS MEDIOS DE INFORMACIÓN

Lee las siguientes preguntas e intenta comprender todo su vocabulario. Luego, escucha atentamente el texto de esta sección y contéstalas, eligiendo sólo una de las tres opciones que se ofrecen.

1. Los periodistas querían:

- ❏ **A.** dificultar la misión
- ❏ **B.** transmitir el desembarco
- ❏ **C.** controlar la zona

2. Los focos de los periodistas:

- ❏ **A.** convertían en blanco fácil a los soldados
- ❏ **B.** anulaban los sistemas de visión nocturna de los soldados
- ❏ **C.** ambas, A y B

3. Los periodistas:

- ❏ **A.** permanecieron en los alrededores del aeropuerto
- ❏ **B.** permanecieron en la playa
- ❏ **C.** se movieron libremente

4. Los primeros soldados llegaron a las:

- ❏ **A.** 0:40, hora de Washington
- ❏ **B.** 16:40, hora de Washington
- ❏ **C.** 16:40, hora de Mogadiscio

5. El gobierno anunció previamente el día y la hora de la misión para:

- ❏ **A.** darle publicidad
- ❏ **B.** que acudieran los periodistas
- ❏ **C.** advertir a las milicias somalíes

DEBATE

¿CREES QUE LA LIBERTAD DE PRENSA PUEDE SER ILIMITADA?
REFLEXIONA Y DISCUTE SOBRE EL TEMA.

Indicativo II.
El futuro y
el condicional.
Usos especiales

SITUACIONES

1. Sustituye el futuro de los textos por otra forma verbal; ¿qué conclusiones puedes sacar?

¿SERÁ POSIBLE QUE ÚNICAMENTE LLUEVA SOBRE MI CABEZA?

"Mi nombre permanecerá, pero no por mi manera de tocar el violoncello; quedará porque Shostakovich, Prokofiev, Britten... me han dedicado obras. Y todos esos compositores permanecerán para siempre"

2. ¿Qué veremos esta noche en televisión? Actúa como locutor.

21:00 TELENOTICIAS
Espacio informativo que resume las noticias más destacadas de la jornada.

21:35 MINISERIE
El abuelo. En el capítulo de hoy, Antonio consigue montar su empresa.

22:00 EL MEJOR CINE
Tú qué harías por amor. España, 1999. Director: Carlos Saura. Intérpretes: Fele Martínez, Silke, Patxi Freytez. El cabecilla de una banda callejera decide cambiar de vida cuando uno de sus colegas muere durante una reyerta.

00:15 LA NOCHE DEL JUEVES
Programa de humor y variedades presentado por *El Gran Camuñas*, en el que hoy actuará el grupo musical *Piranha*.

02:30 TELEVENTA
Espacios promocionales.

3. ¿Qué tiempo hará mañana?

PREVISIÓN	Mín.	Máx.	PREVISIÓN	Mín.	Máx.	PREVISIÓN	Mín.	Máx.
A Coruña	17	22	Oviedo	15	23	Bogotá	7	19
Albacete	19	33	Palencia	11	28	Buenos Aires	16	21
Alicante	21	29	Palma	21	28	Caracas	18	26
Almería	23	30	Pamplona	16	31	Guatemala	13	25
Ávila	14	28	Pontevedra	17	23	La Habana	16	27
Badajoz	16	34	Salamanca	12	30	la Paz	4	16

4. El futuro de los verbos *(hablaré, habré hablado)* puede servir para expresar la probabilidad. Intenta construir frases equivalentes a las que siguen.

"PIENSO, LUEGO EXISTO" ¿SERÁ LA CUESTIÓN?... ¿APROBARÉ EL EXAMEN DE FILOSOFÍA?

Y DIME... ¿EN QUÉ PLANETA TE GUSTARÍA VIVIR?

A MÍ, EN LA TIERRA

¿LA TIERRA?

SÍ. SUPONGO QUE ALLÍ YA HABRÁN INVENTADO EL JAZZ

5. Intenta explicar el uso del condicional simple y compuesto *(hablaría, habría hablado)* en el siguiente fragmento.

Un equipo arqueológico busca los restos del "San Telmo", hundido en la Antártida

Se demostraría que España fue la primera en pisar el continente helado

Zaragoza, **Gonzalo Zanza**.
Un equipo de arqueólogos y geólogos buscará en la Antártida el navío español "San Telmo", que se hundió en la Isla Livingston en 1819. Si el equipo encuentra sus restos, los más de seiscientos marineros españoles que perecieron en él habrían sido los primeros en arribar, bajo una bandera nacional, al continente helado, en lugar de los británicos, lo que podría aducirse para una hipotética revisión del Tratado Antártico.

GRAMÁTICA

4.1. FUTURO

4.1.1. FUTURO SIMPLE *(hablaré)*

- **Acción posterior** al momento en que se halla el hablante. Puede sustituirse por la perífrasis *ir a* + INFI-NITIVO o por el presente con valor de futuro:

  > Mañana **hablaré** con Javier (= voy a hablar).

- **Presente de sorpresa:**

  > ¿**Serás** capaz de negarlo? (=¿eres capaz de negarlo?).

- **Orden** (sin cortesía):

  > **Hablarás** cuando yo te lo permita.

- **Probabilidad** en el presente:

  > **Serán** las siete (=probablemente son las siete).

4.1.2. FUTURO PERFECTO *(habré hablado)*

- **Acción futura** anterior a otra acción también futura en relación con el presente:

  > **Cuando vengas** a casa ya **habré terminado** de pintar el salón.

PASADO	PRESENTE	FUTURO
	x	
	habré terminado	vengas

- **Probabilidad** en el pasado cercano:

  > Ya **habrá salido** hacia aquí (=probablemente ya ha salido).

Pon el infinitivo en una forma de futuro simple o futuro perfecto.

1. Mis amigos *(burlarse)* .... de mí si no consigo aprobar esta vez.
2. No nos *(subir, ellos)* .... el sueldo hasta enero.
3. Esta tarde todos *(conocer)* .... la noticia.
4. El periódico ya *(publicar)* .... tu artículo.
5. Creo que *(salir, yo)* .... tarde de trabajar.
6. Esta tarde *(haber)* .... mucho tráfico en el centro.
7. Cuando vuelvas ya *(hablar, ellos)* .... con el inspector.

8. Para esas fechas ya (terminar, él) .... la valla.

9. Antes de que te des cuenta ya (conseguir, tú) .... el diploma.

10. No (empezar, ellos) .... a cenar hasta las 10.

11. Mañana por la tarde ya me (dar, ellos) .... la solución.

12. Me pregunto si (enterarse, ella) .... de todo lo que tiene que hacer.

13. El domingo (ir, yo) .... a ver a tu familia.

14. El próximo mes (vender, nosotros) .... la casa.

15. El lunes ya (acabar, yo) .... todo el trabajo que tengo pendiente.

16. Tú (tener) .... un buen día, pero yo he tenido un día horrible.

17. Sé que hoy me (cerrar, ellos) .... todas las puertas.

18. Si no arreglas el techo (derrumbarse) .... pronto.

19. ¿(Contestar, él) .... ya todas las cartas que tiene atrasadas?

20. Algún día (ser, él) .... famoso.

21. No (volver, yo) .... a pedirte ningún favor.

22. Ya conoce nuestro proyecto; ¿quién se lo (decir) .... ?

23. Seguramente ya lo (saber, él) .... , porque las noticias vuelan.

24. No (poder, él) .... conseguir ese empleo.

25. Ya (llegar) .... los fugitivos a la frontera.

26. Mañana (levantarse, él) .... muy temprano para ir a trabajar.

27. A las 9 ya (terminar, ella) .... la clase de piano.

28. Ellos (volver) .... a su país este año.

29. Imagino que por la tarde ya (apagarse) .... el fuego completamente.

30. El próximo día te (contar, yo) .... lo que ha sucedido en la reunión.

4.2. CONDICIONAL

4.2.1. CONDICIONAL SIMPLE (hablaría)

- *Futuro* en relación con un pasado:

  El pájaro era muy pequeño, pero Martín cuidaría de él.

- Acción futura como **hipótesis**:

  Sé que haría cualquier cosa por mí.

- *Cortesía* (presente):

  Me gustaría que me explicara de nuevo este asunto.

- *Probabilidad* en el pasado:

  No quiso salir. Tendría mucho trabajo (=probablemente tenía...).

4.2.2. CONDICIONAL COMPUESTO (habría hablado)

- Acción **futura** anterior a otra en el futuro en conexión con el pasado:

  Me comentaron que por la noche ya habrían salido hacia Santiago.

```
                              habrían salido        por la noche
  ─────────── X ───────────────────────────────────────────────────►
           PASADO                               FUTURO
```

- Acción no realizada o **hipótesis** en el pasado:

  Te habría llamado, pero no tenía tu teléfono.

  Mi madre habría venido a cenar, pero no la avisamos.

- **Probabilidad** en un pasado anterior a otro pasado:

  Supuse que lo habrías comprendido

  (=supuse que probablemente lo habías comprendido).

Utiliza el condicional simple o compuesto adecuadamente en las siguientes frases.

1. *Dijeron que (llegar, ellos)* .... *tarde.*

2. *Me (gustar)* .... *poder hacer algo por ti.*

3. *Sabía que (venir)* .... *mucha gente a la reunión.*

4. *(Ir, yo)* .... *contigo, pero no sé si tendré tiempo.*

5. *(Llamar, yo)* .... *, pero tú nunca estás en casa.*

6. *(Desear, yo)* .... *volver a intentarlo de nuevo.*

7. *(Entrar, nosotros)* .... *pero ya habían empezado la reunión.*

8. *No te oí entrar; (estar, yo)* .... *pensando en otras cosas.*

9. *Sólo comentaron que (subir)* .... *el precio de la gasolina.*

10. *Me dijeron que ya (publicar, ellos)* .... *la novela.*

11. *Yo no (contar)* .... *con él para ese trabajo.*

12. *(Poder, nosotros)* .... *quedar para otro día, ¿de acuerdo?*

13. *¿(Llegar)* .... *Juan a la estación de tren a tiempo?*

14. *Me (gustar)* .... *poder llevarte en mi coche.*

15. *Había mucho tráfico, pero dijo que (conseguir, él)* .... *ser puntual.*

16. *¿Te (importar)* .... *ayudarme a resolver este crucigrama?*

17. *Yo (empezar)* .... *por explicar lo más sencillo.*

18. *¿Me (poder, tú)* .... *prestar la máquina de escribir?*

19. *Te (saludar, yo)* .... *, pero no te vi.*

20. *Me aseguró que no se lo (contar)* .... *a nadie.*

21. *¿Es verdad que (dejar, tú)* .... *de estudiar para ponerte a trabajar?*

22. *(Organizar, nosotros)* .... *una fiesta para ti, pero no tuvimos tiempo de nada.*

23. Le dijeron que hoy (salir, él) .... más temprano.

24. Creí que ya (sacar, él) .... las entradas para el partido de baloncesto.

25. Te (ayudar, ellos) ...., pero tú nunca pides ayuda a nadie.

26. No sé, (querer, él) .... decirnos algo importante.

27. Nos (agradar) .... saber la verdad.

28. Te (dar, yo) .... la razón, pero no la tienes.

29. Nos (gustar) .... saludarte, pero nos dijeron que estabas muy ocupado.

30. ¿(Querer, vosotros) .... acompañarme hasta la boca de metro?

4.3. CONTRASTE

- Compara las relaciones temporales de las siguientes oraciones:

- **FUTURO SIMPLE**

    A las siete llegarán (=futuro).

- **FUTURO PERFECTO**

    A las siete (=futuro) ya habrán llegado (=antefuturo).

- **CONDICIONAL SIMPLE**

    Dijeron (=pasado) que llegarían a las siete (=futuro del pasado).

- **CONDICIONAL COMPUESTO**

    Dijeron (=pasado) que a las siete (=futuro del pasado) ya habrían llegado (=antefuturo en el pasado).

Utiliza el futuro o el condicional adecuadamente en las siguientes frases.

1. El tren (llegar) .... con retraso esta tarde.

2. Dijeron que a las siete (haber) .... mucho tráfico por esa zona.

3. No fui porque me comentaron que a esas horas ya (marcharse) .... los invitados.

4. (Esperar) .... todo el tiempo que sea necesario.

5. Llamaron diciendo que sólo (esperar, ellos) .... hasta las siete de la tarde.

6. (Estar, él) .... esperando en la cafetería.

7. Ahora he quedado con un amigo pero después (poder, nosotros) .... ir a cenar.

8. Le (gustar) .... decírtelo personalmente.

9. ¿(Conseguir, ellos) .... entrevistar al actor?

10. Si estoy de mal humor es porque sé que mañana (tener) .... mucho trabajo.

11. Me dijeron que la reunión (empezar) .... antes de lo previsto.

12. El juez comentó que (tener, él) .... que volver a interrogar al testigo.

13. Nos aseguraron que a la vuelta ya (cortar, ellos) .... el césped.

14. Cuando llegaste ya (acostarse) .... todos, ¿no?

15. Mañana (revisar, yo) .... todas esas facturas.

Compara las frases de los siguientes grupos señalando las diferencias, pero antes imagina la situación en que podrían ser pronunciadas:

16. *Volverán pronto.*
Ya habrán vuelto.
Dijeron que volverían pronto.
Ya habrían vuelto cuando lo dijeron.

17. *Mañana a esta hora estarán en tu casa.*
Mañana a esta hora ya habrán estado en tu casa.
Dijeron que estarían en tu casa a esta hora.
Dijeron que a esta hora ya habrían estado en tu casa.

18. *A las siete televisarán el partido.*
A las siete habrán televisado el partido.
Informaron que a las siete televisarían el partido.
Informaron que a las siete ya habrían televisado el partido.

4.4. USOS ESPECIALES

4.4.1. LA EXPRESIÓN DE LA PROBABILIDAD

- **FUTURO SIMPLE.** Probabilidad en el presente:

    Tendrá 30 años (=probablemente tiene 30 años).

- **FUTURO PERFECTO.** Probabilidad en el pasado cercano (=pretérito perfecto):

    - ¿Dónde está Lola?

    - No sé, habrá salido (=probablemente ha salido).

- **CONDICIONAL SIMPLE.** Probabilidad en el pasado (=pretérito indefinido o imperfecto):

    Serían las 9 cuando empezó el concierto. (=probablemente eran las 9 cuando empezó el concierto).

- **CONDICIONAL COMPUESTO.** Probabilidad en un pasado anterior a otro pasado (=pretérito plus-cuamperfecto):

    Cuando llegaste ya habría terminado el espectáculo, ¿no? (=probablemente ya había terminado el espectáculo cuando llegaste).

Utiliza el futuro o el condicional para expresar la probabilidad en las siguientes frases.

1. *(Ser)* .... *más o menos las ocho cuando la vi.*

2. *¿(Tener, él)* .... *algún problema con el motor?*

3. *Ya (coger, ella)* .... *el tren que sale para Lisboa.*

4. *No te asustes, no (ser)* .... *nada grave.*

5. *(Estar, él)* .... *enfermo, pero no ha llamado para comunicarlo.*

6. (Ellos, informar) .... a todos los medios de comunicación.

7. Cuando llegaste ya (comenzar) .... el debate, ¿no?

8. Si ya no salen juntos (ser) .... porque (romper, ellos) .... su compromiso.

9. Probablemente no (poder, él) .... pasar la frontera sin pasaporte.

10. No te preocupes, (estar, ella) .... bien. Si no, nos (llamar, ella) ....

11. El telegrama (llegar) .... hacia las cinco de la tarde.

12. Hay mucha gente en la calle. ¿Qué (suceder) .... ?

13. ¿Quién (telefonear) .... a estas horas de la madrugada?

14. ¿Cuántos años (tener) .... esa modelo?

15. No (ganar, él) .... el premio, aunque se lo merecía.

16. ¿(Olvidarse, ellos) .... de comprar el vino?

17. No sabe si (ser) .... lo mejor, pero firmará el contrato.

18. Si han vuelto al mismo restaurante (ser) .... porque les gustó, supongo.

19. ¿(Saber) .... los niños volver a casa?

20. ¿(Detener, ellos) .... al terrorista ayer?

4.4.2. EL VALOR CONCESIVO

- Las formas de futuro y de condicional simple pueden también ser equivalentes a *aunque* + VERBO.

    - **FUTURO SIMPLE.** Equivalencia con *aunque* en el presente:

        Será muy inteligente, pero es aburridísimo (=aunque es muy inteligente, es aburridísimo).

    - **FUTURO PERFECTO.** Equivalencia con *aunque* con valor de pretérito perfecto:

        Habrá conseguido hacer una gran fortuna, pero es muy desgraciado (=aunque ha conseguido hacer una gran fortuna, es muy desgraciado).

    - **CONDICIONAL SIMPLE.** Equivalencia con *aunque* con valor de indefinido o imperfecto:

        Sería muy gruñón, pero tenía un corazón de oro (=aunque era muy gruñón, tenía un corazón de oro).

Utiliza el futuro o el condicional adecuadamente en las siguientes frases.

1. Aunque es joven, está muy envejecido.

2. Aunque ha tenido muy mala suerte, nunca se queja.

3. Aunque está enfermo, no va al médico.

4. Aunque estaba solo, no estaba aburrido.

5. Tengo mucho sueño, aunque he dormido bien.

6. Aunque has engordado, te veo muy bien.

7. Aunque has trabajado mucho, no pareces cansado.

8. Aunque es muy rico, es un tacaño.

9. Es un tipo más bien serio, aunque parece muy divertido.

10. Aunque llegó tarde, pudo entrar.

ACTIVIDADES

1. Tus compañeros y tú queréis ir a esquiar el fin de semana. ¿Por qué no vais a una agencia de viajes y os informáis de los precios, lugares, días...? Después, comentadlo y poneos de acuerdo. Usad las formas de **probabilidad** estudiadas y construid un diálogo.

2. ¿Cómo crees que vivirán los hombres en el año 2100? Usa las formas de **futuro** y **probabilidad** correspondientes.

3. Tu novio(-a) es extranjero(-a) y quiere conocer tu país. Tú tendrás que ser su guía durante una semana. ¿Por qué no preparas un plan detallado de todo lo que **haréis**?

4. Mira las siguientes fotografías y contesta a las preguntas:

- *¿Qué estarán pensando?*
- *¿Cuántos años tendrán?*
- *¿Serán felices?*
- *¿Qué les pasará?*

5. Resuelve la siguiente situación de una forma cortés.

6. Utiliza el condicional para resolver las siguientes situaciones.

- *Unos amigos te proponen un viaje maravilloso, pero tú tienes muchísimo trabajo.*
- *Llevas a régimen más de un mes y unos amigos te proponen salir a cenar.*
- *Llevas una hora esperando en la consulta del médico y la enfermera pasa delante de ti a varias personas que han llegado después.*
- *Vas conduciendo tu coche y, en un descuido, rozas a un motorista.*
- *Sales una noche dispuesto(-a) a pasarlo bien, pero tu pareja no deja de hablar animadamente con un(-a) compañero(-a).*
- *Después de dedicar mucho tiempo a un trabajo extra, tu jefe te lo rechaza.*

7. Reúnete con un grupo de compañeros para preparar un noticiario radiofónico. Tendrá siete secciones.

    1. Política
    2. Sociedad
    3. Sucesos
    4. Cultura
    5. Deportes
    6. Lotería
    7. Tiempo

Intentad utilizar todas las formas de indicativo posibles.

8. Estáis en un restaurante y ya habéis elegido lo que vais a tomar del menú. Decídselo al camarero, usando futuro y condicional.

Yo tomaré...

Pues yo preferiría...

A mí me gustaría...

9. ¿Qué habrá sucedido? Contesta utilizando las siguientes expresiones:

seguramente · posiblemente · probablemente · tal vez

TEXTOS

Para luchar contra el pragmatismo y la horrible tendencia a la consecución de fines útiles, mi primo el mayor defiende el procedimiento de quitarse un pelo de la cabeza, hacerle un nudo en el medio y dejarlo caer suavemente por el agujero del lavabo.

Sin malgastar un instante, hay que iniciar la tarea de recuperación del pelo. La primera operación consiste en poner al descubierto la cañería que va al desagüe principal. Es seguro que en esta parte (aparecer) .... muchos pelos, y (haber) .... que pedir ayuda al resto de la familia para examinarlos uno a uno en busca del nudo. Si no aparece, se (plantear) .... el interesante problema de romper la cañería hasta la planta baja, por lo que durante ocho o diez años (haber) .... que trabajar duramente para reunir el dinero necesario y comprar los cuatro departamentos situados debajo del de mi primo, todo ello con la penosa sensación de que mientras se trabaja durante esos ocho o diez años no se (poder) .... evitar la penosa sensación de que el pelo ya no está en la cañería.

(Llegar) .... el día en que (romper, nosotros) .... las cañerías de todos los departamentos, y durante meses (vivir) .... rodeados de palanganas y otros recipientes llenos de pelos mojados, así como de asistentes y mendigos a los que (nosotros, pagar) .... generosamente para que busquen el pelo. Si éste no aparece, (nosotros, entrar) .... en una etapa mucho más complicada porque (tener) .... que ir a las cloacas de la ciudad.

Después de comprar un traje especial, (aprender, nosotros) .... a deslizarnos por las alcantarillas a altas horas de la noche, armados de una linterna poderosa y una máscara de oxígeno, y (explorar) .... las galerías, ayudados por individuos del hampa con quienes (trabar) .... previamente relación.

Pero antes de eso, y quizá mucho antes, por ejemplo a pocos centímetros de la boca del lavabo, a la altura del departamento del segundo piso, puede suceder que encontremos el pelo. Basta pensar en la alegría que esto nos (producir) ...., en el asombrado cálculo de los esfuerzos ahorrados por pura buena suerte, para justificar y exigir una tarea semejante, que todo maestro (deber) .... aconsejar a sus alumnos desde la más tierna infancia, en vez de secarles el alma con la regla de tres compuesta.

Julio Cortázar (Argentina)
Pérdida y recuperación del pelo

LÉXICO

- **Pragmatismo:** método filosófico basado en la práctica.
- **Cañería:** tubo para la conducción de agua.
- **Hampa:** vida picaresca y maleante.
- **Departamento:** compartimento, sección, *Am.* piso pequeño.
- **Regla de tres:** operación de matemáticas.

CUESTIONES

I.

- Haz un resumen de la historia.

- ¿Podrías inventar tú otras ocupaciones inútiles? Exprésalas en futuro.

II.

- Rellena los espacios en blanco con las formas adecuadas de *futuro simple* o *condicional*, según convenga.

- Completa las siguientes frases con formas de futuro simple o condicional. Ten en cuenta que vas a usar verbos irregulares:

  1. No podía imaginar que me (decir, él) .... eso.

  2. Lleva mucho tiempo callado. Supongo que (hacer, él) .... alguna travesura.

  3. Nos comentó que a las diez ya (volver, él) .... de la oficina.

  4. Te recuerdo que no (poder, tú) .... salir si no terminas ese trabajo.

  5. Creíamos que toda la ropa (caber) .... en la maleta, pero es imposible.

  6. Llevo horas llamándola y no contesta. Imagino que (salir, ella) ....

III.

- Deduce el significado de las siguientes palabras a partir de aquélla de la que provienen:

  desagüe · penosa · recipiente · aconsejar

- *Haber que* + INFINITIVO, impersonal, expresa obligación:

  Habrá que trabajar duramente.

  Haber de + INFINITIVO, tiene el mismo significado pero corresponde a la lengua formal y puede construirse con todas las personas:

  Hemos de trabajar duramente.

  Construye una frase con cada una de estas estructuras.

EL HOMBRE Y LA NATURALEZA

Lee las siguientes preguntas e intenta comprender todo su vocabulario. Luego, escucha atentamente el texto de esta sección y contéstalas, eligiendo sólo una de las tres opciones que se ofrecen.

1. Desde el punto de vista de la naturaleza:
- ❏ **A.** los hombres tienen una gravísima enfermedad
- ❏ **B.** la humanidad es una gravísima enfermedad
- ❏ **C.** el hombre es la bestia más horrible

2. El hombre ha abandonado el instinto a cambio de:
- ❏ **A.** la inteligencia frenética
- ❏ **B.** la crueldad
- ❏ **C.** la destrucción

3. Un arpón es:
- ❏ **A.** un tipo de ropa
- ❏ **B.** un barco pequeño
- ❏ **C.** un arma

4. Los seres humanos destruyen:
- ❏ **A.** toda la tierra
- ❏ **B.** la atmósfera
- ❏ **C.** el fondo del mar

5. Hay un virus que:
- ❏ **A.** corre por los ríos y manantiales
- ❏ **B.** se ha enfrentado con la humanidad
- ❏ **C.** se ha enfrentado con la naturaleza

DEBATE

ESTE TEXTO UTILIZA LA IRONÍA PARA DESARROLLAR SU TEMA. ¿CREES QUE TIENE ALGO DE RAZÓN? ¿Y TÚ QUÉ OPINAS?

La voz pasiva. La construcción impersonal

SITUACIONES

1. Observa las formas verbales en negrita y señala sus características comunes. Después, explícalas a partir de la gramática de esta lección.

CICLISMO

El mallorquín Juan Serra **fue elegido** presidente de la Federación Española de Ciclismo, con 89 votos a favor y 31 en contra, en las elecciones que **se celebraron** ayer en Madrid. Serra sustituye en la presidencia a José Luis Ibáñez de Arana, que **fue obligado** a dimitir en el pasado mes de julio por el Consejo Superior de Deportes.

2. La pasiva puede formarse con

    ser + PARTICIPIO

    se + **verbo en tercera persona**

    estar + PARTICIPIO

Esta última estructura está presente en los textos, ¿podrías encontrarla?

TU DESTINO ESTÁ ESCRITO

JOHN MALKOVICH

no está considerado en su país, Estados Unidos, un actor popular. Es en Europa donde este hombre magnético y de una varonil ambigüedad encuentra a sus grandes admiradores.

3. La impersonalidad se puede expresar con *se* y un verbo en tercera persona de singular. Halla en estos fragmentos las formas que obedecen a esta estructura.

"No se paga", gritaron más de 2.000 empresarios frente al Ayuntamiento.

ES UNA LATA VIVIR EN UN PLANETA DESIERTO

Y MÁS AÚN SI SE VIVE EN...

¡GROoooo!

¡UN PLANETA QUE RONCA!

■ PISOS

SE OFRECE habitación para estudiante, preferentemente chico, en piso muy bien comunicado (Metro Chueca), con calefacción central. © 91 364 25 56.

PISO se vende en el barrio La Latina. Pequeño, ideal para estudiantes. Interesados pregunten por Elvira. © 91 473 45 65.

SE ALQUILA habitación con baño independiente en chalet, Aravaca. Interesados llamar al © 91 501 23 41.

HABITACIÓN. Se busca chica para compartir piso muy céntrico en habitación individual. © 607 45 60 18.

EMBAJADORES. Alquilo habitación en piso compartido, grande y luminoso. © 91 517 27 21.

SE BUSCA chica para compartir piso. Habitación propia. © 91 768 90 42.

GRAMÁTICA

5.1. LA VOZ PASIVA CON "SER"

- Las oraciones pasivas provienen de la transformación de oraciones con verbo en voz activa y complemento directo (explícito o implícito); esos verbos se llaman **transitivos**. El resultado del cambio no es una oración con diferente significado; simplemente cambia el punto de vista, pues se da más importancia al complemento directo de la oración activa, ya que en la pasiva irá en primer lugar. Observa el siguiente ejemplo:

Activa: Sujeto + Verbo en voz activa + Complemento directo (C.D.)

(1) *El juez condenó a los acusados.*

(2) *Los acusados fueron condenados por el juez.*

Pasiva: Sujeto paciente + Verbo en voz pasiva + Complemento agente (C.A.)

PROCESO

- El sujeto de (1) se convierte en complemento agente de (2) con la anteposición de **por**.

- El complemento directo de (1) se transforma en sujeto paciente de (2); si se refiere a persona, la preposición **a** que lo antecede se pierde porque el sujeto nunca lleva preposición.

- El verbo se transforma también, y en la voz pasiva se conserva el tiempo (aquí, pretérito indefinido) pero se aplica a **ser**, que concuerda en número con el nuevo sujeto *(los acusados fueron)* y va seguido por el participio del verbo activo, pero concordando en género y número con el nuevo sujeto *(acusados: condenados)*.

LIMITACIONES

- El uso de la pasiva es poco frecuente en el español oral, donde ha sido sustituida progresivamente por la *pasiva refleja* (con *se*), al igual que en el lenguaje escrito.

    El congreso ha sido inaugurado ➡ *Se ha inaugurado el congreso.*

- Hay que tener en cuenta, además, que hay verbos que no admiten la transformación, como *tener, haber* o *poder*. Lo mismo ocurre con los verbos no transitivos *(La presidenta no fue a la reunión)*, reflexivos *(Aún no se ha vestido)* y recíprocos *(Se molestan constantemente)*.

- No es usual la pasiva en presente o pretérito imperfecto, excepto cuando se quiere comunicar un hecho habitual o reiterado: *Los invitados eran/son recibidos siempre con alegría.* En el caso del presente, puede darse como *presente histórico*, ya estudiado:

    América es descubierta en 1492.

Transforma en pasivas las siguientes frases activas.

1. El conserje entregó la correspondencia demasiado tarde.
2. La policía interroga a los ladrones en la comisaría.
3. Ese día el juez tomó una decisión drástica.
4. Esta huerta produce las mejores manzanas de la región.
5. El público aclamó a los actores al final de la representación.
6. Nuestros amigos prepararon una gran fiesta de cumpleaños.
7. El conductor del autobús llevó a los pasajeros a su destino.
8. Ayer el periódico explicaba la situación económica del país con todo detalle.
9. El Ministro de Trabajo recibió a los obreros.
10. Los alumnos escuchaban al profesor.
11. Mi jefe ha transformado la empresa.
12. Construyeron su casa con sus propias manos.

Transforma en pasivas las siguientes frases cuando sea posible.

13. El portero nunca abre la puerta a los desconocidos.
14. Se disfrazó de payaso el último carnaval.
15. Los médicos no pudieron operar al paciente.
16. Fuma mucho más desde el verano.
17. Los dos coches chocaron en una curva cerrada.
18. Unos pirómanos incendiaron el bosque.
19. El vigilante se marchó antes de las diez.
20. Evacuaron el hospital para evitar una catástrofe.
21. No pudimos llegar a tiempo a la parada del autobús.
22. Los bomberos no pudieron apagar el fuego.
23. Han acabado la autopista antes de lo previsto.
24. La radio ha dado la noticia hoy.

5.2. LA VOZ PASIVA CON "ESTAR"

- La voz pasiva se puede construir tanto con **ser** como con **estar**:
    - La pasiva con **ser** se llama **de agente** porque indica la **realización** de una acción:

        Los terroristas fueron arrestados por la policía.

    - La pasiva con **estar**, llamada **de estado**, indica el **resultado durativo** de una acción. Por tanto la acción no está realizándose, sino terminada:

        Los terroristas están arrestados. ← (=fueron arrestados en el pasado y ahora están en la comisaría detenidos).

- Observa la correspondencia de tiempos:

La puerta ha sido abierta	➡ está abierta
La puerta había sido abierta	➡ estaba abierta
La puerta es abierta	➡ estará abierta

CONTRASTE

- Hay entre la pasiva con **ser** y **estar** una diferencia fundamental: el complemento agente (C.A.) existe siempre –presente o sobreentendido– en la primera, pero en la segunda no es necesario porque nadie está realizando una acción:

> *La puerta* **fue abierta** *(por el portero) a las siete.*
>
> *La puerta* **está abierta**.

- No obstante, hay que anotar una excepción. Si la presencia del agente es la causa de que continúe el resultado de su acción, tendremos pasivas de **estar** con complemento agente:

> *La salida* **fue bloqueada por la multitud** *(=acción).*
>
> *La salida* **estaba bloqueada** *(=estado o resultado de la acción anterior).*

> PERO

> *La salida* **estaba bloqueada por la multitud** *(=resultado mantenido por el complemento agente).*

Completa las siguientes frases con una forma pasiva con *ser* o *estar*; si ambas son posibles, explica la diferencia.

1. *No pudimos comprar el pan porque la panadería .... cerrada.*
2. *Tu solicitud .... aceptada por el tribunal.*
3. *Las modelos ya .... peinadas.*
4. *La reunión .... aplazada por el secretario.*
5. *Esa carretera .... cortada por las obras.*
6. *Los documentos .... revisados.*
7. *Tu actitud .... criticada por todos.*
8. *Gran parte de la película .... censurada.*
9. *El río .... muy crecido a causa de las lluvias.*
10. *Tu libro .... seleccionado por el comité.*
11. *La oposición .... convocada desde la semana pasada.*
12. *El acto .... clausurado por el Presidente.*
13. *El plazo para la matrícula .... abierto.*
14. *Todos los museos .... abiertos de 10 a 8.*
15. *Olvidé decirte que el impreso no .... sellado.*
16. *Ese hombre .... desesperado.*
17. *Los montañistas .... rescatados por el equipo de salvamento.*
18. *El niño ya .... dormido.*

Construye oraciones pasivas con los siguientes verbos:

1.	*abrir*	**3.**	*buscar*	**5.**	*peinar*	**7.**	*romper*
2.	*atar*	**4.**	*cortar*	**6.**	*escribir*	**8.**	*terminar*

5.3. LA PASIVA REFLEJA

- Hemos dicho que la voz pasiva ha sido desplazada progresivamente por la pasiva refleja o pasiva con *se*. Este tipo de construcción elimina la presencia del agente. Observa la transformación:

Activa: Sujeto + Verbo en voz activa + Complemento directo (C.D.)

(3) **El arquitecto construyó esos edificios en 1954.**

(4) **Se construyeron esos edificios en 1954.**

P. refleja: Se + Verbo transitivo en 3ª persona (singular o plural) + Sujeto paciente

PROCESO

- El sujeto de la activa se elimina. En su lugar hallamos el pronombre *se*.

- El complemento directo, que *siempre* tendrá que ser *de cosa* y no de persona para poder formar esta construcción, se transforma en sujeto paciente.

- El verbo ha de ir en tercera persona de singular o plural, en concordancia con el sujeto paciente.

Nota: La frase (4) no es equivalente a la (3).

5.4. LA CONSTRUCCIÓN IMPERSONAL

- Es muy parecida a la anterior, por lo que a veces se produce confusión:

Activa: Sujeto + Verbo en voz activa + Complemento directo (C.D.)

(5) **Su hermana necesita una asistenta.**

(6) **Se necesita una asistenta.**

Impersonal: Se + Verbo en 3ª persona de singular + Complemento directo (C.D.)

CONTRASTE

- Ambas estructuras, impersonal y refleja, se usan cuando el sujeto es indeterminado o desconocido, o simplemente no queremos mencionarlo, pero hay que hacer distinciones:

    – La construcción impersonal no es pasiva y su verbo va siempre en singular.

– Además, la construcción impersonal admite verbos no transitivos:

Se está muy bien aquí.

- Por tanto, sólo puede haber confusión cuando tenemos una oración con verbo transitivo en tercera persona de singular, cuya acción afecta a un objeto, pues puede ser interpretada de ambas maneras, como pasiva refleja y como impersonal: *Se vende* un apartamento (=complemento directo o sujeto paciente).

Nota: La frase (5) no es equivalente a la (6).

Transforma estas oraciones en pasivas con *se*.

1. *Mi padre nos dio la noticia ayer.*
2. *El sacerdote repitió el sermón de la semana pasada.*
3. *Los soldados atravesaron la frontera sin problemas.*
4. *El concursante recibió los premios con gran alegría.*
5. *El secretario envió la carta certificada.*
6. *Los campesinos normalmente recogen la cosecha por estas fechas.*
7. *El alcalde leyó los informes ante los delegados.*
8. *El comerciante vendió toda la mercancía.*
9. *Sus padres denunciaron el robo.*
10. *El Ministerio rechazó el nuevo plan de estudios.*
11. *El cartero repartió los paquetes urgentes.*
12. *Trajeron el encargo por la mañana.*

Transforma las siguientes frases con *se* impersonal.

13. *Una llamada anónima dio la información decisiva para resolver el caso.*
14. *Los inquilinos viven muy mal en ese apartamento.*
15. *El abogado defendió al acusado brillantemente.*
16. *Mi empresa necesita ayudantes.*
17. *La película ha sido rodada en el desierto.*
18. *El público no aplaudió al conferenciante con mucho entusiasmo.*
19. *El locutor animaba a los oyentes a participar en el programa.*
20. *Asfaltaron la carretera durante las vacaciones de verano.*
21. *Sus parientes denunciaron el secuestro.*
22. *Alguien presentó una queja a la asociación de consumidores.*
23. *El anuncio pedía información sobre el perro extraviado.*
24. *Hablaron del suceso por todas partes.*

ACTIVIDADES

1. Ya sabes que la pasiva refleja (con *se*) sustituye en la lengua hablada a la pasiva con *ser* cuando esta última no tiene agente humano expreso y su sujeto paciente es una cosa. Busca en la prensa frases similares a las del modelo dado y haz las transformaciones necesarias.

MODELO: *El libro fue vendido en todas las librerías / Se vendió el libro en todas las librerías.*

2. Los verbos **haber, hacer** y **ser** pueden presentarse en construcciones llamadas impersonales, en tercera persona de singular y sin sujeto:

MODELO: *Hay crisis / Hace frío / Es invierno.*

Lo mismo ocurre con verbos como **llover, nevar, amanecer, anochecer, granizar...** Intenta construir frases con ellos.

3. La impersonalidad puede expresarse también con el verbo en 3ª persona del plural. ¿De qué otra forma podrías decir esta frase?

> **Descubren un complejo industrial subterráneo en la bíblica Maresha**

4. También se puede indicar la impersonalidad con las expresiones **uno** y **gente**, así como con la **tercera persona del plural**.

MODELOS: *La gente se acostumbra a todo enseguida.*

Uno nunca sabe qué hacer en estas situaciones.

Dicen que ya va a terminar la sequía.

Haz frases teniendo en cuenta estas estructuras.

5. Transforma la siguiente receta según el modelo y luego explica cómo se elabora tu plato favorito, usando siempre la pasiva refleja.

> *Se disuelve...*
> *Se montan...*
> *Se ponen...*

NATILLAS NEVADAS

Preparación:
- Disuelva un bote pequeño de leche condensada en 3/4 de litro de agua y póngalo en un cazo al fuego.
- Monte 4 claras de huevo a punto de nieve, ponga 2 ó 3 cucharadas en la leche caliente y cueza los copos a fuego suave. Prepare el resto de los copos del mismo modo.
- Añada a la leche las 4 yemas y una cucharada de harina disuelta en un poco de agua fría y cuézalo al baño María, hasta que la crema espese.
- Viértala en un bol, cúbrala con los copos y rocíelos con un caramelo clarito.

6. Es frecuente encontrar el uso de la pasiva en el lenguaje periodístico de forma sintetizada. Observa el titular y transfórmalo según las estructuras estudiadas en esta unidad. Después busca noticias similares.

> **Condenados dos jóvenes a 49 años por un incendio con cuatro muertos**

7. Explica la construcción impersonal y la de pasiva refleja a partir de las siguientes viñetas.

"SE MEJORARÁN LAS CONDICIONES DE LOS OBREROS DE..."

"SE HACE UN DONATIVO DE MIL MILLONES A ETIOPÍA..."

¡VAYA! PARECE QUE EL MUNDO HA EMPEZADO A FUNCIONAR AL REVÉS.

TEXTOS

El nacimiento de la novela occidental coincide con la profunda crisis que se produce al finalizar la época medieval, era religiosa en que los valores son nítidos y firmes, para entrar en una era en que todo será puesto en tela de juicio y en que la angustia y la soledad serán cada día más los atributos del hombre enajenado. Podemos fijar una fecha más o menos definida en el siglo XIII, cuando tanto el Papado como el imperio empiezan a derrumbarse desde su universalidad. Todo el Viejo Mundo comenzará a ser derruido. Pronto el hombre estará preparado para el nacimiento de la novela; no hay una fe sólida, la burla ha sustituido a la religión. Y así nacerá ese género que planteará la condición humana en un mundo donde Dios está cuestionado. De Cervantes a Kafka, éste será el gran tema de la novela. Se necesitaba la conjunción de tres grandes acontecimientos que no se había dado antes: el cristianismo, la ciencia y el capitalismo. El Quijote constituye no sólo el primer ejemplo, sino también el más típico, ya que en él los valores caballerescos medievales son puestos en ridículo. Nuestra novela es el testimonio trágico de un artista ante el cual se han derrumbado los valores seguros de una comunidad sagrada. Y una sociedad que entra en la crisis de sus ideales es como para el niño el fin de su adolescencia: el absoluto se ha roto en pedazos y el alma queda ante la desesperación y el nihilismo.

Ernesto Sábato (Argentina)
El escritor y sus fantasmas

LÉXICO

- **Era:** época.
- **Nítido:** claro.
- **Enajenado:** apartado, suspendido del uso de sus sentidos.
- **Cuestionar:** discutir un punto dudoso.
- **Nihilismo:** negación de toda creencia.
- **Poner en ridículo:** burlarse de algo o alguien haciendo resaltar su ridiculez.
- **Poner en tela de juicio:** discutir, dudar sobre un tema.

CUESTIONES

I.
- ¿Cuál es, según el autor, la causa del nacimiento de la novela?
- Comenta tu novela favorita.

II.
- En este fragmento se pueden encontrar varias formas de pasiva con **ser, estar** y **se**. ¿Cuáles son? Clasifícalas y explica su valor gramatical.
- El presente histórico, que hemos estudiado en la unidad 3, tiene una correspondencia con el futuro simple; ejemplo: *Colón **llega a** América en 1492. Él **construirá** la primera catedral del Nuevo Mundo.* Hay numerosos ejemplos de este tipo de futuro en el texto. Encuéntralos.

...

- Observa las siguientes correlaciones:

  No lo entendió, pero prefirió callarse.

  El Quijote constituye no sólo el primer ejemplo sino también el más típico.

  Intenta explicar la diferencia entre **no ... pero** y **no ... sino** y aplicar esas estructuras a los siguientes casos:

  1. No me gusta mucho, ... lo compraré.

  2. No me gusta el azul, ... el verde.

  3. No es fácil de entender, ... voy a intentarlo.

  4. No es fácil, ... más bien complicado.

  5. No consiguieron el primer premio, ... el segundo.

- *Comenzar* + INFINITIVO indica el inicio de una acción; con la misma construcción se pueden usar los verbos *empezar* y *ponerse*. Construye frases con cada uno de ellos.

- Te ofrecemos algunas expresiones que, como *poner en tela de juicio* y *poner en ridículo*, se construyen con el verbo *poner*; intenta utilizarlas:

  – **Ponerse colorado** ➡ ruborizarse por la vergüenza.

  – **Poner en claro** ➡ aclarar, explicar con claridad.

  – **Poner por encima** ➡ anteponer.

  – **Ponerse al corriente, al día** ➡ enterarse, informarse de una cosa.

  – **Poner pies en polvorosa**, *Méx., Col.* tomar el polvo, *Col.* emplumárselas, *Ven.* salir fletado ➡ irse rápidamente.

CIENCIA: EL VALLE DE LA LUNA

Lee las siguientes preguntas e intenta comprender todo su vocabulario. Luego, escucha atentamente el texto de esta sección y contéstalas, eligiendo sólo una de las tres opciones que se ofrecen.

1. Ischigualasto es:
   - ❑ **A.** un desierto de Bolivia
   - ❑ **B.** el Valle de la Luna argentino
   - ❑ **C.** la Meca

2. El Valle de la Luna recuerda a:
   - ❑ **A.** San Juan
   - ❑ **B.** los Andes
   - ❑ **C.** Lanzarote y Cuenca

3. En el Valle hay:
   - ❑ **A.** animales de todas clases
   - ❑ **B.** pájaros y esfinges
   - ❑ **C.** seres caprichosos

4. En él se han encontrado:
   - ❑ **A.** fósiles de animales prehistóricos
   - ❑ **B.** enormes riquezas
   - ❑ **C.** seres humanos

5. Dentro de millones de años sólo habrá:
   - ❑ **A.** pinturas rupestres y jeroglíficos
   - ❑ **B.** lagunas y pantanos
   - ❑ **C.** una pampa de arena

DEBATE

¿CUÁL ES EL LUGAR MÁS HERMOSO DE TU PAÍS? ¿PODRÍAS DESCRIBIRLO? ¿SABES ALGO SOBRE SU ORIGEN E HISTORIA? CONVERSA SOBRE ESTE TEMA.

Pronombres personales

SITUACIONES

1. ¿Por qué crees que se usa en esta viñeta el pronombre sujeto, si se suele omitir en español?

YO DIRÍA QUE ES POR AHÍ, AUNQUE SÉ QUE PIENSAS QUE ESTOY EQUIVOCADO

TE REPITO QUE CONDUZCO YO

2. Llamamos construcciones reflexivas a aquéllas en que el verbo se refiere al sujeto. ¿Podrías hallarlas en los siguientes casos?

Un insumiso condenado a dos años se entrega voluntariamente en el juzgado

Macaulay Culkin está dispuesto a superarse a sí mismo. Con su última película pretende batir todos los récords de recaudación y dejar en un tímido amago el éxito que tuvo la primera.

3. Observa el uso de los pronombres en estas frases e intenta explicar por qué van después del verbo.

TENLO CLARO

DETENEDLO!!!

5. El verbo *gustar* se construye con pronombre. Observa la viñeta y expresa tú también tus preferencias; ¿qué es lo que más te gusta en la vida?

ME GUSTAN LAS FLORES, PERO NO ME GUSTAN DE ESTA MANERA

4. Se llaman recíprocas las construcciones en que intervienen dos sujetos que se afectan mutuamente. Observa los pronombres y después construye frases con la misma estructura que éstas.

"Estos libros se complementan en muchos sentidos. Mientras el estilo del primero es académico, el del segundo es personal. Juntos son una ojeada muy completa sobre la vida y obra de Jung"

6. Este caso presenta mayor dificultad: *a ti* repite el significado de *te* de modo enfático. Intenta hacer frases parecidas, usando la misma estructura.

¿Y A TI QUÉ TE PARECE?

7. Transforma esta frase cambiando cada pronombre por el sustantivo correspondiente.

¿Tu madre tiene abrigo de piel? A la mía se lo arrancaron

GRAMÁTICA

6.1. PRONOMBRES PERSONALES GRUPO I: TÓNICOS

	SINGULAR	PLURAL
PRIMERA PERSONA	yo, (mí), conmigo	nosotros, nosotras
SEGUNDA PERSONA	tú, (ti), contigo	vosotros, vosotras
TERCERA PERSONA	él, ella usted **ello** (neutro)	ellos, ellas ustedes
	consigo (reflexivo) **sí** (reflexivo)	

USOS

- Pueden funcionar como **sujeto**. En ese caso es normal que no aparezcan en la frase, pues la terminación de los verbos españoles ya indica, generalmente, la persona a la que hace referencia: *(Yo) no recuerdo nada.* Sin embargo, pueden usarse para:

    – evitar ambigüedad: *Él no sabe lo que dice* (no ella, usted).

    – dar énfasis: *Yo me opongo.*

    – producir contrastes: *Vete tú, yo me quedo aquí.*

- También pueden usarse como complementos con **preposición**: *Las golosinas son para ellos.* En ese caso, hay que tener en cuenta lo siguiente:

    – los pronombres *tú* y *yo* se transforman en *ti* y *mí* cuando van detrás de una preposición: *Están todos contra ti.* Esto no ocurre cuando van detrás de *entre* y *según*:

    Entre tú y yo haremos un trabajo estupendo.

    Según tú, ¿cómo se pronuncia esta palabra?

    – con + yo = conmigo; con + tú = contigo:

    Iré contigo al médico.

LA SEGUNDA PERSONA

- *Tú, vosotros/usted, ustedes:* usamos *tú* cuando tratamos con personas con las que tenemos confianza; *usted* corresponde a situaciones más formales en que nos dirigimos a personas de más edad que nosotros o con las que no tenemos confianza.

    Su uso se está reduciendo en España, pero sigue muy extendido en América, donde puede expresar afecto entre personas de mucha confianza, como padres e hijos. Hay que anotar también que *usted* y *ustedes* son formas que se refieren a la segunda persona pero se comportan como las de la tercera persona:

> *Usted se ha equivocado / Él se ha equivocado.*

- **Vosotros/ustedes.** *Vosotros* es el plural de *tú* en gran parte del territorio español, pero en América, Canarias y parte de Andalucía se usa *ustedes* como plural de *tú* y *usted* de manera generalizada, y *vosotros* prácticamente no se usa, excepto en textos literarios.

- **Voseo.** En Argentina, Uruguay y Paraguay se usa *vos* en lugar de *tú*, con el consiguiente cambio del verbo. Este fenómeno se llama voseo.

> *Tú quieres / Vos querés.*

(En Chile se da un fenómeno parecido pero con variantes –*querís*– y se considera vulgar).

ELLO

Ello se usa en el lenguaje formal y culto para referirse a conceptos o frases y tiene un valor parecido al de los pronombres demostrativos:

> *No ha conseguido la aceptación del proyecto; por ello (=esto, eso) ha presentado su dimisión.*

Utiliza adecuadamente los pronombres personales en las siguientes frases.

1. *Alma me dio recuerdos para .... (tú) en su carta.*
2. *Creo que me esperan a .... (yo), pero ahora no puedo atenderlos.*
3. *Siempre me acuerdo de .... (tú) cuando me pasan estas cosas.*
4. *Su actitud hacia .... (vosotros) es imperdonable.*
5. *Dijo que había estado todo el día hablando con .... (tú).*
6. *Vino a la fiesta por .... (ella) exclusivamente.*
7. *No entiendo por qué nunca quieres salir con .... (nosotros).*
8. *¿Estás seguro de que han enviado ese fax para .... (yo)?*
9. *Supongo que eso depende ahora de .... (tú).*
10. *¿Quieres venir al teatro con .... (yo)?*
11. *Entre .... (tú) y .... (yo) no hay secretos.*
12. *Él haría cualquier cosa por .... (tú).*
13. *Según .... (ella), la despidieron por su impuntualidad.*
14. *Sólo han dicho que se disculparían ante (tú) .... por lo ocurrido.*
15. *No están contra .... (yo), están contra .... (tú).*

6.2. PRONOMBRES PERSONALES GRUPO II: ÁTONOS

	SINGULAR	PLURAL
PRIMERA PERSONA	me	nos
SEGUNDA PERSONA	te	os
TERCERA PERSONA	la, lo le (se) **lo** (neutro)	las, los les (se)

COMPLEMENTO DIRECTO E INDIRECTO

- Para comprender el uso de los pronombres del grupo II es fundamental conocer la diferencia entre:
  - **Complemento directo** (**C.D.**, acusativo, precedido por *a* cuando hace referencia a un ser animado):

    Conseguí la información ayer.

    Vi a María.

    Siempre paseamos al perro por la noche.

  - **Complemento indirecto** (**C.I.**, dativo, precedido de *a* o *para*):

    Dictó la carta a la mecanógrafa.

    Han traído un paquete para ti.

- La mejor manera de distinguirlos es la transformación de la oración en pasiva, donde el C.D. se convierte en sujeto, mientras el C.I. no se altera:

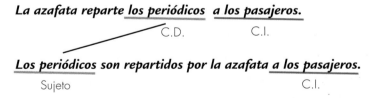

La azafata reparte los periódicos a los pasajeros.

C.D.   C.I.

Los periódicos son repartidos por la azafata a los pasajeros.

Sujeto   C.I.

USO DE LOS PRONOMBRES

- Los pronombres de primera y segunda persona pueden funcionar como C.D. o C.I. indistintamente, y no presentan cambios de género:

  Tu prima me/ te/ nos/ os vio en el cine (C.D.).

  Eva me/ te/ nos/ os dio un regalo (C.I.).

- Las dificultades se presentan en relación con los pronombres de tercera persona. Hemos de tener en cuenta lo siguiente:

    – el neutro **lo**, cuya forma es idéntica al artículo neutro y al pronombre C.D. masculino de tercera persona de singular, se utiliza para sustituir adjetivos y frases completas. Es común su uso para contestar preguntas con la estructura *sí/no + lo + verbo:*

      ¿Estás cansado? **Sí, lo estoy.**

      ¿Has entendido lo que he dicho? **No, no lo he entendido.**

    – **lo, la, los** y **las** funcionan como C.D., y presentan diferencias de género y de número:

      Ha comprado **sellos** = **Los** *ha comprado.*

      Vimos **a Cristina** *en la plaza* = **La** *vimos en la plaza.*

    – **le** y **les** no presentan diferencias de género y funcionan como C.I.:

      Prometieron **a Luis** *que vendrían* = **Le** *prometieron que vendrían.*

      Dieron **a María** *la enhorabuena* = **Le** *dieron la enhorabuena.*

      Sirvieron el café **a los invitados** = **Les** *sirvieron el café.*

    – cuando coinciden los pronombres de C.D. y C.I. en una oración, el C.I. *(le, les)* se transforma en **se** por razones de fonética:

      Se lo *prometieron.*

ORDEN Y ÉNFASIS

- El **orden** de los pronombres del grupo II es variable. Lo normal es que vayan antes del verbo, primero el C.I. y después el C.D.:

      Te lo *dirán mañana.*

Pero hay **excepciones**:

    – el *imperativo afirmativo* (v. unidad 7):

      *Cuénta**me** una historia bonita.*

    – el *gerundio:*

      *Pensándo**lo** bien, eso no es tan fácil.*

    – el *infinitivo:*

      *Olvidar**la** es lo mejor.*

Por otra parte, las estructuras de *VERBO CONJUGADO + INFINITIVO O GERUNDIO* permiten las dos opciones anotadas:

      Me lo *deberías traer ya / Deberías traér**melo** ya.*

      Nos *estamos informando / Estamos informándo**nos**.*

- Si alteramos el orden habitual de la oración y situamos el C.D. o C.I. antes del verbo con el fin de producir énfasis sobre ellos, tenemos que añadir un pronombre como refuerzo expresivo:

    No dieron una propina al camarero = No se la dieron.

pero:

    Al camarero no le dieron una propina.

    La propina no la dieron al camarero.

    Al camarero la propina no se la dieron.

- Además, hemos de recordar que, cuando la preposición **a** va seguida de un pronombre (del grupo I, como se ha explicado):

    – si se trata de C.D. hay que reforzarlo obligatoriamente con el correspondiente del grupo II.

    Encontré a David en el bar = Lo encontré a él en el bar.

    – en el caso del C.I., el pronombre enfático es opcional cuando encontramos la preposición seguida de un nombre, y obligatorio cuando la preposición va con pronombre.

    (Le) dije al tapicero que prefería otro color.

pero:

    Le dije a él que prefería otro color.

Utiliza el pronombre personal C.D. o C.I. adecuadamente en las siguientes frases.

1. .... *(a mí) preguntó por ti.*

2. .... *(a ella) conocimos en un restaurante.*

3. *El niño* .... *(a él) contó sus problemas.*

4. *¿Estás muy interesado en ese trabajo? Sí,* .... *estoy.*

5. .... *(a vosotros) hemos visto esta tarde desde el autobús.*

6. *No te daré el libro hoy, te* .... *daré mañana por la mañana.*

7. *¿* .... *(a ti) gustaría ir a la ópera?*

8. *El cartero* .... *(a nosotros) entregó todas las cartas que tenía.*

9. *¿Has encontrado lo que querías? Sí,* .... *he encontrado.*

10. .... *(a mí) presentaron a sus amigos.*

11. *¿Has visto esa película? No, no* .... *he visto.*

12. *¿Recibiste el aviso? Sí, ya* .... *he recibido.*

13. *(A vosotros)* .... *daremos los regalos más tarde.*

14. *(A ti)* .... *nombrarán presidente de la asociación.*

15. *¿Encontraremos las llaves? No* .... *sé.*

Sustituye las palabras en color por el correspondiente pronombre.

16. *Explicó* el problema *a los alumnos.*
17. *Comentará* la noticia *a la prensa.*
18. *Después del concierto entrevistaremos* al solista.
19. *El lunes vamos a comprar* los libros.
20. *El abuelo siempre contaba* cuentos *a sus nietos.*
21. *Los corresponsales enviaron* el reportaje *a tiempo.*
22. *Vio* a su mujer *durante unos minutos.*
23. *Nunca he visto* a ese hombre.
24. *Esta noche inauguran* una nueva discoteca.
25. *Quiero ver* a mi padre.
26. *Los vecinos avisaron* a la policía *de madrugada.*
27. *Van a cerrar* el museo *para restaurarlo.*
28. *Antonio ve siempre* las películas *dos veces.*
29. *Esta vez te prestaré* el dinero.
30. *Me compraré* una revista *para no aburrirme mientras te espero.*
31. *He cambiado* los muebles *de sitio.*
32. *Solucionó* el problema *a sus amigos.*
33. *Quizá no debiste entregar* la fianza.
34. *Ya han repartido* los certificados.
35. *Dijo* la verdad *a su familia.*
36. *Ha conseguido aprobar* el carné de conducir.
37. *He traído* esto *para tus hermanos.*
38. *Regaló* una botella de vino *a Javier.*
39. *Creo* que han repartido el dinero entre los más pobres.
40. *Habló* a la multitud *muy tranquilamente.*
41. *¡Por fin ha conseguido* una beca!
42. *Nos darán* los resultados *el martes.*
43. *Se ha cortado* el pelo.
44. *Conocí* a ese chico *ayer.*
45. *Tengo que encontrar como sea* su número de teléfono.

Cambia el orden de los pronombres en las siguientes frases haciendo las transformaciones necesarias.

MODELO: *No te lo vamos a comprar* .... **No vamos a comprártelo**

46. *¿Me lo puedes decir?*
47. *Hace tiempo que te estoy llamando por teléfono.*
48. *No la puedo olvidar.*
49. *No le dijeron lo que sucedía.*
50. *Me lo deberías haber dicho cuando sucedió.*
51. *Tienes que decidirlo ahora.*
52. *Lo estoy pensando a conciencia.*

53. *Nos lo deberían consultar primero.*
54. *Ahora me vas a escuchar.*
55. *¿Nos quieres decir algo?*
56. *Le podíamos aconsejar.*
57. *Se lo están llevando todo.*
58. *No me quieren dar ninguna explicación.*
59. *Le están arreglando el coche.*
60. *Nos lo va a confirmar hoy mismo.*

6.3. REFLEXIVOS Y RECÍPROCOS

- Los **pronombres reflexivos** *(se, sí, consigo...)* se refieren siempre al sujeto de la oración:

    Se viste siempre después de desayunar.

    Pueden ir reforzados por *mismo (-a, -os, -as)*:

    A veces voy por la calle hablando conmigo mismo.

- Los **pronombres recíprocos** *(nos, os, se)* son los que indican una acción mutua; por ejemplo, en la frase *Daniel y Rosa se insultan*, se entiende que *Daniel insulta a Rosa y Rosa insulta a Daniel*. Pueden ir reforzados por expresiones como *uno a otro* o *el uno al otro* (con variantes de género y número):

    Siempre nos ayudamos (unos a otros).

Completa las frases con pronombres reflexivos o recíprocos.

1. *Siempre _____ abrazamos cuando _____ vemos.*
2. *Cuando termino de trabajar _____ lavo las manos.*
3. *No _____ bañarás dos veces en el mismo río.*
4. *Aunque siempre están discutiendo, sé que _____ adoran.*
5. *_____ afeito nada más levantarme.*
6. *Estaba tan contento que _____ puso a bailar.*
7. *Desde que discutieron ya no _____ saludan.*
8. *Esos hermanos _____ quieren mucho.*
9. *_____ viste normalmente con ropa muy deportiva.*
10. *Cuando estuvimos en Egipto _____ hicimos muchas fotos.*
11. *Todavía no _____ he peinado.*
12. *Nunca _____ ayudan el uno al otro.*
13. *(Ellos) _____ quieren divorciar.*
14. *(Nosotros) _____ contamos todas las cosas que nos suceden.*
15. *El perro _____ rasca mucho; debe de tener pulgas.*

ACTIVIDADES

1. El pronombre sujeto suele omitirse en español, pero en esta pequeña carta aparece constantemente. ¿Por qué? Escribe algo similar a tus padres.

> *Mientras tú te dabas a conocer*
> *en el Colegio de Abogados,*
> *yo transmitía desde Beirut.*
>
> *Tú ganabas casos.*
> *Yo perseguía la noticia.*
>
> *Tú te unías a un prestigioso bufete,*
> *yo conseguí ser corresponsal en Moscú.*
>
> *Pero, aunque a veces lo olvido, creo que*
> *realmente somos muy parecidos.*

2. En los siguientes anuncios publicitarios se utiliza unas veces el pronombre personal *tú*, y otras *usted*. ¿Por qué? ¿Dónde está la diferencia? Haced una encuesta sobre el uso de ambos pronombres y después sacad, en grupo, las conclusiones oportunas.

LA PUBLICIDAD

El objetivo de la publicidad es informar. Informar a una colectividad de la existencia de determinados productos o servicios. Pero recuerde que siempre la decisión de compra la toma usted.

Si tú quieres
nosotros
podemos

3. Éstas son algunas de las expresiones que utilizamos cuando recibimos a alguien en casa:

- ¡pase, pase! / ¡pasa, pasa!
- puede/s pasar
- está en su casa/ estás en tu casa
- tome/n asiento
- siéntese/ siéntate
- haga/ haz el favor de entrar
- ¡dichosos los ojos que te ven!
- aquí estará/s a sus/ tus anchas

Explica cómo recibirías en tu casa

- a un amigo desconsolado
- a tu abogado
- al alcalde de tu ciudad
- al portero
- a alguien que no has visto hace tiempo
- a tu abuela

4. Cuando respondemos a una pregunta usamos frecuentemente pronombres:

> — ¿Ha visto por aquí a una chica
> pelirroja?
> — No, no la he visto

Construye preguntas y respuestas parecidas utilizando las siguientes palabras:

comprar • leer • tener • perder • recoger • llamar coleccionar • regar • libro • regalos • llaves • bolso amigos • flores • sellos • cartas

5. Ahora, pregunta y responde teniendo en cuenta estas situaciones:

- *Estás en la comisaría porque has visto un accidente.*
- *Vas al cine con tus amigos. Comentáis la película.*
- *No has asistido a clase. Quieres saber lo que ha explicado el profesor.*
- *Quieres ayudar a un amigo que tiene problemas.*
- *En una cena, estás sentado al lado de una persona que no conoces y tienes que hablar con ella.*

6. Inventa una historia a partir de las imágenes. No olvides utilizar los pronombres reflexivos y recíprocos siempre que puedas.

TEXTOS

Lees ese anuncio: una oferta de esa naturaleza no se hace todos los días. Lees y relees el aviso. Parece dirigido a ti, a nadie más. Distraído, dejas que la ceniza del cigarro caiga dentro de la taza de té que has estado bebiendo en este cafetín sucio y barato. "Se solicita historiador joven. Ordenado. Escrupuloso. Conocedor de la lengua francesa. Conocimiento perfecto, coloquial. Capaz de realizar labores de secretario. Tres mil pesos mensuales, comida y habitación cómoda. Calle Donceles, 815. Acuda en persona. No hay teléfono".

Recoges tu portafolio y dejas la propina. Piensas que otro historiador joven, en condiciones semejantes a las tuyas, ya ha leído ese mismo aviso, tomado la delantera, ocupado tu puesto. Tratas de olvidar mientras caminas a la esquina. Esperas el autobús, enciendes un cigarrillo, repites en silencio las fechas que debes memorizar para que tus alumnos te respeten. Tienes que prepararte. Metes la mano en el bolsillo, juegas con las monedas de cobre, por fin escoges treinta centavos, los aprietas con el puño y alargas el brazo para tomar firmemente el barrote de hierro del autobús que nunca se detiene, saltar, abrirte paso, pagar los treinta centavos, acomodarte difícilmente entre los pasajeros apretujados que viajan de pie, apoyar tu mano derecha en el pasamanos, apretar el portafolio contra el costado y colocar distraídamente la mano izquierda sobre el bolsillo trasero del pantalón, donde guardas los billetes.

Carlos Fuentes (México)
Aura

LÉXICO

- **Oferta:** propuesta para contratar.
- **Propina:** gratificación que sobre el precio convenido se da por algún servicio.
- **Tomar la delantera:** adelantarse, ir antes.
- **Apretujar:** apretar mucho.

CUESTIONES

I.

- ¿Quién es, supuestamente, el protagonista? Intenta crear tú mismo algunos anuncios, ofreciendo trabajo, apartamento, etc.

- Imagina un final sorprendente para esta historia.

II.

- Localiza los pronombres personales existentes en el texto y clasifícalos. Después realiza todas las sustituciones posibles por pronombres del grupo II (átonos).

    Modelo: *Esperas el autobús* ➡ lo esperas.

    Repites en silencio las fechas ➡ las repites en silencio.

- Explica la diferencia entre las siguientes construcciones:

    Se solicita historiador.

    Una oferta de esa naturaleza no se hace todos los días.

III.

- Deduce el significado de *cafetín, releer* y *portafolio*.

- Busca sinónimos de las siguientes palabras, que sean intercambiables por ellas en el texto:

  distraído · lengua · semejantes · repetir · escoger · alargar · nunca

- El término **autobús**, propio del español normativo o académico, tiene numerosas variantes:

  Méx. **camión**
  Gua., Sal. **camioneta**
  Pan. **chiva**
  Arg. **colectivo**
  Ch. **micro, liebre**
  Cub., Can. **guagua** (pero *Ch., Per.* guagua = bebé)

- El **peso** es la unidad monetaria de México, pero también de Argentina, Chile, Bolivia, Colombia, Cuba, República Dominicana y Uruguay. ¿Sabrías relacionar las siguientes unidades monetarias con sus respectivos países?

euro •	• Venezuela
bolívar •	• Costa Rica y El Salvador
colón •	• España
sucre •	• Panamá
quetzal •	• Ecuador
lempira •	• Perú
córdoba •	• Guatemala
balboa •	• Paraguay
guaraní •	• Honduras
sol •	• Nicaragua

Al perderte yo a ti, tú y yo hemos perdido:
yo porque tú eras lo que yo más amaba,
y tú porque yo era el que te amaba más.
Pero de nosotros dos tú pierdes más que yo:
porque yo podré amar a otras como te amaba a ti,
pero a ti no te amarán como te amaba yo.

Ernesto Cardenal (Nicaragua)
Epigrama

- Reflexiona ahora sobre el uso de los pronombres en este poema.

HÁBITOS SOCIALES

Lee las siguientes preguntas e intenta comprender todo su vocabulario. Luego, escucha atentamente el texto de esta sección y contéstalas, eligiendo sólo una de las tres opciones que se ofrecen.

1. El beso social en las mejillas:

- ❑ **A.** es frecuente en España
- ❑ **B.** es frecuente entre los señores
- ❑ **C.** se puso de moda en los años setenta

2. Es normal saludarse con un beso excepto:

- ❑ **A.** entre hombres y mujeres
- ❑ **B.** entre mujeres
- ❑ **C.** en situaciones muy formales

3. Al saludarse, los españoles suelen:

- ❑ **A.** dar besos auténticos
- ❑ **B.** rozar las mejillas
- ❑ **C.** soplar sobre las orejas del contrario

4. Los anglosajones y alemanes se saludan:

- ❑ **A.** con besos
- ❑ **B.** dándose la mano
- ❑ **C.** abalanzándose al cuello de la otra persona

5. Los japoneses:

- ❑ **A.** no se besan nunca
- ❑ **B.** tienen formas lingüísticas diferentes para tratar con el otro sexo
- ❑ **C.** no se tocan jamás

DEBATE

¿CUÁLES SON LOS HÁBITOS SOCIALES EN TU PAÍS? ¿CÓMO SALUDARÍAS TÚ A UN MINISTRO, UN AMIGO, TU JEFE, UN TAXISTA Y EL CARTERO DE TU BARRIO?

Subjuntivo I.
Introducción.
El imperativo

SITUACIONES

1. El imperfecto de subjuntivo puede usarse en fórmulas de cortesía, y también para expresar el pasado de un modo más formal y literario. Busca esta forma verbal en los textos e inventa tus propios ejemplos.

¡VEAMOS...! DE PRIMERO, QUISIERA UNA CREMA DE LANGOSTA...

> **Nicu Ceasescu será liberado hoy.**
> El hijo menor del que fuera dictador de Rumanía, Nicolae Ceasescu, será liberado hoy, según el diario Evenimentul Zilei – **EFE.**

2. *Quizá* y *tal vez* son expresiones que pueden ir con indicativo o subjuntivo; ¿cuál crees que es la diferencia?

> Quizá fuera su genio lo que le hizo ser tan feo. Tal vez fueron sus magistrales riffs de guitarra los que le hicieron fruncir tanto el ceño que dejaron su rostro como una pasa.

3. *Que + subjuntivo* puede indicar una orden o un deseo. ¿Qué deseo tiene el personaje de la ilustración?

¡AY!, ¡QUE NO VUELVA A ATROPELLARME OTRO COCHE NUNCA MÁS!

4. ¿Qué aconseja la asociación de consumidores? Responde con tres frases en imperativo.

> Ante la crisis, una asociación de consumidores aconseja evitar el uso de las tarjetas de crédito, hacer las compras con dinero metálico "para no hipotecarnos todo el año" y comprar alimentos que estén en oferta.

5. Analiza estos usos de imperativo y clasifícalos según se refieran a una u otra persona, presenten o no pronombre, etc.

Evite un otoño en sus cabellos

Resístete, si puedes

Apasiónate otra vez

Descubra la perfección

Sienta el calor del Caribe. Venga a Cuba

GRAMÁTICA

7.1. EL SUBJUNTIVO: CORRELACIÓN DE TIEMPOS

Dedicaremos varias unidades a los usos del modo subjuntivo, pero antes es necesario establecer las relaciones entre las distintas formas temporales:

PRESENTE (hable)

- Equivale a presente y futuro de indicativo:

   Ojalá que esté en la oficina ahora/mañana.

PRETÉRITO PERFECTO (haya hablado)

- Equivale a:

   – pretérito perfecto de indicativo:

      Espero que haya llegado.

   – futuro perfecto de indicativo:

      Espero que el próximo viernes hayas terminado el trabajo.

PRETÉRITO IMPERFECTO (hablara/hablase)

- Puede expresar pasado, presente o futuro:

   No creo que actuara (=pasado) como le indiqué.

   Me gustaría que vinieras (=futuro).

   Me encantaría que estuvieras aquí (=presente).

- NOTAS: La peculiaridad de este tiempo es la presencia de dos formas –*hablara/hablase*– para un mismo significado. En sus orígenes correspondían respectivamente a pluscuamperfecto de indicativo y de subjuntivo latino, pero hoy son equivalentes, aunque hay que recordar que:

   – *hablara* se usa más que *hablase*.

   – *hablara* es la única forma posible para determinado uso estilístico, propio del lenguaje escrito, en que equivale a pasado (pluscuamperfecto o indefinido) de indicativo:

      Como dijera el sabio, no hay ningún libro tan malo que no tenga algo bueno.

   – igualmente, hay una fórmula de cortesía con el verbo *querer* que sólo admite la forma con –*ra*:

      Quisiera explicarle lo que ha pasado.

PRETÉRITO PLUSCUAMPERFECTO (hubiera hablado/hubiese hablado)

- Expresa un pasado en relación con otro pasado. Puede equivaler al pluscuamperfecto o al condicional compuesto de indicativo:

   Si se lo hubieras pedido, te habría hecho el favor.

- También presenta dos formas con un mismo significado. Pero hay que tener en cuenta que sólo puede usarse la primera *(hubiera hablado)* para:

   – expresar hipótesis en el pasado:

      Hubiera querido estar allí (pero no estuve).

– sustituir al condicional perfecto (v. unidad 12):

Si lo hubieras intentado, lo **hubieras conseguido** *(=habrías conseguido).*

FUTURO (hablare)

• Ya no se usa. Se ha ido extinguiendo y actualmente sólo sobrevive en textos legales y fórmulas estereotipadas: *Donde fueres haz lo que vieres.*

Todos los verbos entre paréntesis deben ir en subjuntivo. No te preocupes ahora del porqué; intenta sólo usar el tiempo adecuado. Existen varias posibilidades.

1. *Esperaba que me (confesar, él)* .... *toda la verdad.*
2. *Me alegra que (venir, tú)* .... *a verme.*
3. *No sabía que (ir, vosotros)* .... *al cine.*
4. *Sentiría que (llegar, ellos)* .... *tarde a la reunión.*
5. *Es necesario que (volver, tú)* .... *pronto.*
6. *No le dejé que me (dar)* .... *una explicación.*
7. *Me ha sorprendido que (aprobar, él)* .... *el examen.*
8. *Preferiría que (hablar, tú)* .... *con él.*
9. *Te pido que me (perdonar)* ....
10. *No recordaba que (estar, vosotros)* .... *allí.*
11. *Me ha rogado que (ir, yo)* .... *a entregar estos papeles.*
12. *Es necesario que me lo (contar, tú)* .... *todo.*
13. *No parece que (estar, ellos)* .... *muy contentos.*
14. *Necesito que (recordar, vosotros)* .... *lo que pasó.*
15. *No creo que (estar)* .... *bien lo que has hecho.*
16. *Me exigió que lo (terminar)* .... *hoy.*
17. *Lamentaría que no (venir, ellos)* .... *a mi fiesta.*
18. *No pensé que (tener, vosotros)* .... *tantos problemas.*
19. *Me sorprendió que tú me (hablar)* .... *de aquella forma.*
20. *Deseo que (ser, tú)* .... *feliz.*
21. *No creo que (encontrarse, ellos)* .... *mejor.*
22. *Es absurdo que (decir, él)* .... *eso de ti.*
23. *Te ruego que me (disculpar)* ....
24. *No queríamos que (estar, tú)* .... *solo.*
25. *Sería conveniente que (descansar, tú)* .... *unos días.*

Pon en pasado las siguientes oraciones.

MODELO: *Temo que venga borracho* ➡ *Temía que viniera borracho.*

26. *Espero que no tengáis problemas este lunes.*

27. Me sorprende que él gaste tanto dinero.

28. Sentiremos que te vayas.

29. Es estupendo que vuelvas a tu país.

30. No me parece que estés más delgada.

31. Te ruego que me dejes tranquila.

32. No creo que sea buena idea.

33. Temo que pueda sospechar algo.

34. Necesitaré que me ayudes.

35. Me extraña que digas eso.

36. No parece que quiera ayudarme.

37. Te pido que me perdones.

38. No noto que le suceda nada.

39. Necesitaré que me aconsejes.

40. No digo que tenga que hacerlo inmediatamente.

7.2. ORACIONES INDEPENDIENTES

A continuación estudiamos ciertas oraciones que se construyen con un solo verbo y pueden o deben ir con subjuntivo. Expresan deseo, probabilidad o hipótesis, y el uso de los modos depende de las expresiones que usemos.

INDICATIVO / SUBJUNTIVO

- **PROBABILIDAD:** *quizá(s), tal vez, probablemente, posiblemente*

  Si la expresión va antes del verbo, éste puede ir con indicativo y subjuntivo; el primero expresa mayor grado de probabilidad y el segundo un grado menor. Si va después del verbo, éste se construye en indicativo:

  > *El próximo trimestre tal vez se matricula en la escuela (=probable).*

  > *El próximo trimestre tal vez se matricule en la escuela (= poco probable).*

  > *El próximo trimestre se matricula en la escuela, tal vez.*

- **HIPÓTESIS:** PLUSCUAMPERFECTO DE SUBJUNTIVO

  La hipótesis en el pasado puede expresarse indistintamente con pluscuamperfecto de subjuntivo o condicional compuesto. El significado no varía:

  > *Yo no hubiera hecho lo mismo / Yo no habría hecho lo mismo.*

SUBJUNTIVO

- **DESEO**

  - *Ojalá (que)*

    Esta expresión proviene del árabe *(= "quiera Dios")* y puede ir con los cuatro tiempos de subjuntivo; observa la relación temporal:

    > *Ojalá venga María (presente o futuro).*

    > *Ojalá viniera María (presente o futuro, pero menos probable).*

    > *Ojalá haya venido María (pasado próximo).*

    > *Ojalá hubiera venido María (pasado improbable o no realizado).*

  - *Que*

    Suele usarse con presente de subjuntivo para expresar deseos en el futuro o presente:

    > *¡Que te mejores!*

Se puede usar también con pretérito perfecto para expresar deseos en el pasado:

> *¡Que haya llegado a tiempo!*

La partícula puede eliminarse en fórmulas estereotipadas:

> *¡Vivan los novios!*

– *Si, quién*

Ambas partículas se usan para construir exclamaciones que expresan deseo de algo que afecta a quien habla y cuya realización es imposible o poco probable. Sólo pueden ir con imperfecto o pluscuamperfecto de subjuntivo:

> *¡Quién fuera rico!*
>
> *¡Si hubiera podido vivir en las Bahamas!*

- **POSIBILIDAD**: *puede que*

   Presenta la misma relación temporal que *ojalá:*

   > *Puede que estudie pintura (=es posible que...).*

   (Observa que, por el contrario, con la expresión de posibilidad ***a lo mejor*** siempre usamos indicativo: *A lo mejor llueve; el cielo está muy nublado*).

Pon el infinitivo en una forma adecuada de indicativo o subjuntivo. Si ambos son posibles, explica la diferencia.

1. Tal vez (ir, nosotros) .... a tu casa esta tarde.

2. Probablemente (venir, él) .... con invitados.

3. Ojalá (saber, vosotros) .... los resultados este fin de semana.

4. ¡Que te lo (pasar, tú) .... muy bien en tu viaje!

5. Tal vez él no (decir) .... eso.

6. ¡Quién (estar) .... en tu lugar!

7. ¡Si (conseguir) .... trabajar en esa empresa!

8. Puede que (recibir, vosotros) .... noticias mías muy pronto.

9. Posiblemente (tener, tú) .... fiebre.

10. Quizá me (dar, ellos) .... dos días de vacaciones.

11. Puede que (perder, ellos) .... el autobús.

12. Probablemente no te (permitir, ella) .... hablar con él.

13. Ojalá (poder, yo) .... venir esta tarde.

14. A lo mejor nos (llamar, ellos) .... más tarde.

15. Tal vez (necesitar, vosotros) .... unos días de descanso.

16. Puede que hoy no (pasar, yo) .... por tu despacho.

17. Probablemente no se (comprar, él) .... ningún coche.

18. Quizá (estar, ellos) .... preocupados por ti.

19. A lo mejor (cambiar, ellos) .... de casa.

20. ¡Si (poder, yo) .... hacer algo por vosotros!

21. Ojalá (poder, nosotros) .... estar todos juntos.

22. ¡Que (dormir, tú) .... bien esta noche.

23. Ojalá (cambiar, él) .... de opinión.

24. ¡Si (estar, yo) .... allí!

25. Puede que (salir, él) .... pronto de la oficina.

26. (Ir, él) .... a buscarte, probablemente.

27. Quizá (buscar, ellos) .... trabajo.

28. Tal vez (olvidar, ella) .... algo en su casa.

29. Probablemente (discutir, ellos) .... por una tontería.

30. Puede que no (saber, él) .... nada todavía.

Completa las siguientes frases.

31. Puede que ....

32. ¡Que .... buen día!

33. .... probablemente.

34. Ojalá .... prestarme ....

35. ¡Quién .... estar .... !

36. Tal vez .... mis hermanos ....

37. ¡Si .... estudiar más!

38. Quizá .... esta tarde ....

39. ¡Quién .... rico!

40. Puede que .... con él ayer.

7.3. EL IMPERATIVO

- Estudiamos el imperativo después de los modos indicativo y subjuntivo porque es mucho más simple su aprendizaje al compararlo con ambos:

FORMA AFIRMATIVA

(tú)	**habla**	(= 3ª persona de singular, presente de indicativo)
(usted)	**hable**	(= 3ª persona de singular, presente de subjuntivo)
(nosotros)	**hablemos**	(= 1ª persona de plural, presente de subjuntivo)
(vosotros)	**hablad**	(= cambia la -r del infinitivo por -d)
(ustedes)	**hablen**	(= 3ª persona de plural, presente de subjuntivo)

FORMA NEGATIVA

(tú) no	**hables**	(= 2ª persona de singular, presente de subjuntivo)
(vosotros) no	**habléis**	(= 2ª persona de plural, presente de subjuntivo)

Las formas de *usted, ustedes* y *nosotros* se mantienen para la negación.

PRONOMBRES

- Observa el uso de los pronombres con el imperativo:

    – *callad* ➡ *callaos* (sin -*d*). Excepción: *id* ➡ *idos*.

    – *callemos* ➡ *callémonos* (sin -*s*-).

    – con el imperativo afirmativo los pronombres van detrás del verbo: *Díselo.*

    – con el imperativo negativo los pronombres van antes: *No se lo digas.*

    – observa que el uso de pronombres puede convertir el verbo en palabra esdrújula o sobresdrújula y exigir, por tanto, tilde: *Canta la canción para mí* ➡ *Cántala para mí* ➡ *Cántamela.*

LAS ÓRDENES

- El imperativo no se suele usar con *usted* (-*es*); se sustituye por otras fórmulas, normalmente interrogativas (*¿Quiere (usted) / Le importaría / Podría / Me haría el favor de +* INFINITIVO?):

    ¿Le importaría bajar la música? Es que me duele la cabeza.

    Si se usa el imperativo, es usual añadir *por favor* para suavizar la orden:

    Siéntese, por favor.

- El infinitivo se puede usar para construir órdenes en algunos casos:

    – En los carteles públicos se admite para dar órdenes negativas:

    No fumar.

    – El imperativo de *nosotros* se puede formar con *vamos a +* INFINITIVO:

    Vamos a intentarlo de nuevo.

    – Se pueden expresar órdenes con *a +* INFINITIVO:

    ¡A comer!

- Recuerda que el presente se puede usar con valor de orden:

    Vas y se lo dices.

- Las órdenes a una tercera persona se expresan con *que +* SUBJUNTIVO:

    ¡Que entre el siguiente!   *¡Que nadie me moleste!*

- Pueden indicarse las órdenes con *hay que* (impersonal) / *deber* / *tener que +* INFINITIVO:

    Debes / Tienes que / Hay que trabajar más.

- Hay formas de imperativo que se han fosilizado; han perdido su valor de orden o ruego y se usan como fórmulas para expresar exclamaciones:

    – *¡Vaya!, ¡Anda!* (= sorpresa):

    ¡Vaya, no sabía que estabas aquí!   *¡Anda, pero si es facilísimo!*

    – *¡Venga!* (= ánimo):

    ¡Venga, vamos de paseo, que ya has trabajado bastante por hoy!

- En algunas ocasiones puede utilizarse el gerundio para dar órdenes:

  ¡Andando!   ¡Ya te estás callando!

Pon las siguientes frases en imperativo y utiliza el pronombre adecuadamente cuando sea necesario.

1. Quiero que te vayas.
2. ¿Podría esperar un momento?
3. Tienes que ser puntual.
4. No pisar el césped.
5. Vosotros no coméis nunca en casa.
6. Deseo que se lo preguntes.
7. Vas a su casa y se lo preguntas.
8. ¿Ustedes no van a la reunión?
9. ¡A estudiar!
10. Hay que intentarlo.
11. ¿Le importaría venir a verme esta tarde?
12. Espero que te lo comas todo.
13. Vosotros no aprovecháis el tiempo.
14. Subes a casa y le entregas a Juan este libro.
15. ¿Me harías ese favor?

Pon en imperativo afirmativo y negativo los verbos entre paréntesis y utiliza correctamente el pronombre que corresponda.

MODELO: (Comprar, tú) una estantería. .... *Cómprala/No la compres* ....

16. (Comer, vosotros) ese pastel. ....
17. (Salir, usted) un momento, por favor. ....
18. (Dar, tú) las llaves a mí. ....
19. (Acostarse, usted) temprano. ....
20. (Marcharse, vosotros) de la clase. ....
21. (Cerrar, tú) la puerta. ....
22. (Repetir, vosotros) el examen. ....
23. (Estar, tú) callado. ....
24. (Lavarse, vosotros) las manos. ....
25. (Seguir, ustedes) trabajando. ....
26. (Saludar, tú) al profesor. ....
27. (Pedir, vosotros) permiso a vuestros padres. ....
28. (Poner, tú) la mesa. ....
29. (Hacer, vosotros) bien el trabajo. ....
30. (Apagar, ustedes) sus cigarrillos. ....

Pon en imperativo negativo las siguientes frases.

31. Siéntate en la mesa.
32. Sed cuidadosos.
33. Salga deprisa, por favor.
34. Di lo que sepas.
35. Seguid cantando.
36. Poned las mantas en mi cuarto.
37. Escucha cuando te hablan.
38. Presta atención.
39. Vuelve a poner ese disco.
40. Tened paciencia.

ACTIVIDADES

1. ¿Qué crees que desean estas personas?

2. Cuenta lo sucedido utilizando todos los recursos que conoces para expresar probabilidad, hipótesis y posibilidad.

3. Lee el siguiente texto. Subraya todos los imperativos que encuentres y después ponlos en la forma de **vosotros** y **ustedes**.

LA CRISIS
TRATAMIENTO DE CHOQUE

1. Sin perder un minuto, haga cuentas de sus ingresos y gastos diarios y un balance mensual del presupuesto familiar.

2. No sea consumista. Antes de comprar piense: ¿lo necesito?

3. Compare precios y olvide las marcas más caras.

4. Evite tentaciones, vaya a la compra con una lista hecha previamente.

5. Las tarjetas de crédito favorecen el derroche: olvídese de ellas.

6. Pague siempre en efectivo: controlará más y gastará menos.

7. Lo notará al final de mes: ahorre luz, agua y teléfono.

8. Salir de copas no es imprescindible: reduzca sus gastos en ocio.

9. Si come fuera, olvídese de la imagen y busque calidad y buen precio.

10. Haga una lista con las cosas gratis de la vida y disfrútelas.

11. Revise sus facturas y repase siempre los extractos de su banco.

12. Si le sobra dinero, ingréselo en una cuenta especial, algún día lo necesitará.

13. Saque partido a sus impuestos:utilice la sanidad y educación públicas.

14. Sea europeo: utilice el transporte público.

15. Olvídese de los juegos de azar, casi nunca tocan.

16. No espere a julio, planifique con tiempo sus vacaciones.

17. Hay desgravaciones que desconoce: haga sus cálculos para la declaración de la renta lo antes posible.

4. Expresa probabilidad e hipótesis con **quizá(s)**, **tal vez**, **probablemente**, **posiblemente** y **puede que** ante las siguientes situaciones:

Tu compañero de piso hace demasiado ruido por las noches.

Te habían avisado de que irían a recogerte a la estación. Llevas esperando una hora y no viene nadie a buscarte.

Son las doce de la mañana y tu jefe aún no ha llegado.

Todas las ruedas de tu coche están desinfladas.

Telefoneas a un amigo pero nadie contesta.

5. Un amigo tuyo va a hacer un viaje en tren. Como suele marearse, te ha pedido consejo. Lee el siguiente texto y contéstale usando los verbos en imperativo:

- **No se debe leer ni fijar la vista en periódicos o revistas.**

- **Conviene hacer comidas ligeras, ricas en azúcares o féculas. Moderación con las bebidas alcohólicas.**

- **No llevar prendas que compriman el cuello ni la cintura. Ante los primeros síntomas, respirar lentamente y colocar un pañuelo mojado en agua fría sobre la nuca.**

- **En coche o en tren hacer paradas frecuentes o aprovechar las estaciones para descender y pasear.**

- **Tomar horas antes del viaje un comprimido de vitamina B6 o de algún tranquilizante con valeriana. Algunos tratamientos se presentan en forma de chicles, lo que hace más fácil su administración a los niños.**

6. Eres el director de una película. Da órdenes a los actores y cámaras teniendo en cuenta las siguientes estructuras:

Vamos a + INFINITIVO

A + INFINITIVO

Que + SUBJUNTIVO

TEXTOS

Que los ruidos te perforen los dientes como los aparatos de los dentistas, y que la memoria se te llene de herrumbre y olores descompuestos.

Que te crezca en cada poro una pata de araña y que sólo puedas comer barajas usadas.

Que, al salir a la calle, hasta las farolas te traten a patadas; que una fuerza irresistible te obligue a arrodillarte ante los cubos de basura.

Que cuando quieras decir "mi amor" digas "pescado frito", que tus manos intenten estrangularte a cada momento y que sin querer te arrojes a los estercoleros.

Que tu mujer te engañe hasta con los buzones; que tras unirse a ti se transforme en sanguijuela y dé a luz una llave inglesa.

Que los espejos, al verte, se suiciden de repugnancia; que tu único entretenimiento consista en ir a la sala de espera de los dentistas disfrazado de cocodrilo; que te enamores tan locamente de una caja de hierro que no puedas dejar, ni por un momento, de besar su cerradura.

Oliverio Girondo (Argentina).

LÉXICO

- **Perforar:** agujerear.
- **Herrumbre:** óxido rojizo que se forma en la superficie del hierro por la acción del aire húmedo.
- **Poro:** cada agujero que hay en la superficie de los seres vivos.
- **Baraja:** conjunto de naipes.
- **Farola:** farol que ilumina plazas y paseos.
- **Estrangular:** ahogar apretando el cuello.

- **Estercolero:** lugar donde se recogen los excrementos de los animales.
- **Buzón:** lugar donde se echan las cartas para el correo.
- **Sanguijuela:** gusano que se alimenta de la sangre que chupa.
- **Llave inglesa:** herramienta que se adapta a la tuerca que se quiere mover.
- **Repugnancia:** aborrecimiento, repulsión.

CUESTIONES

I.
- ¿Por qué puede el poeta desear tanto mal a alguien? Inventa una historia, también humorística.

II.
- Busca todos los deseos negativos, y observa su estructura: **que + SUBJUNTIVO**.

- Conviértelos en deseos positivos. Usa tu imaginación.

III.

- Explica el significado de ***irresistible*** y ***descompuesto*** a partir de las palabras de las que derivan.

- La estructura ***al + INFINITIVO*** expresa "simultaneidad": ***al salir*** significa "en el momento de salir". Contrástala con las siguientes y construye frases con todas ellas:

> ***después de*** ('posterioridad') + INFINITIVO
>
> ***antes de*** ('anterioridad') + INFINITIVO
>
> ***nada más*** ('en el instante inmediatamente posterior a') + INFINITIVO

- ***A patadas*** expresa modo. Busca otras expresiones que contengan también la preposición ***a***.

- Busca palabras que signifiquen lo contrario de las siguientes:

> ruido • fuerza • luz • repugnancia • locamente

Empuja el corazón,
quiébralo, ciégalo,
hasta que nazca en él
el poderoso vacío
de lo que nunca podrás nombrar.

Sé, al menos,
su inminencia
y quebrantado hueso
de su proximidad.

Que se haga de noche. (Piedra,
nocturna piedra sola)

Alza entonces la súplica:
que la palabra sea sólo verdad.

José Ángel Valente (España)
Noche primera

LÉXICO

- **Quebrar, quebrantar:** romper.
- **Cegar:** quitar la capacidad de visión.
- **Inminencia:** el hecho de estar algo a punto de ocurrir.
- **Súplica:** ruego, petición.

CUESTIONES

I.

- Intenta interpretar el significado de este poema e identificar su tema principal.

II.

- Localiza y clasifica las formas de imperativo que hay en el texto.

  Busca también las estructuras con *que + SUBJUNTIVO* y explícalas.

III.

- Sustituye las siguientes palabras por otras que signifiquen lo mismo:

  – empujar
  – quebrar
  – proximidad
  – alzar
  – súplica

ECOLOGÍA

Lee las siguientes preguntas e intenta comprender todo su vocabulario. Luego, escucha atentamente el texto de esta sección y contéstalas, eligiendo sólo una de las tres opciones que se ofrecen.

1. El coche es una máquina de manchar porque produce:

- ❏ **A.** monóxido de carbono
- ❏ **B.** clorofluorocarbonados
- ❏ **C.** ambas, A y B

2. Se ha pensado en fuentes de energía menos contaminantes, como:

- ❏ **A.** la electricidad
- ❏ **B.** el aceite líquido
- ❏ **C.** el aire acondicionado

3. Se debe cambiar periódicamente:

- ❏ **A.** el aceite
- ❏ **B.** los filtros y el aceite
- ❏ **C.** la presión

4. No debe lavarse el coche:

- ❏ **A.** más de lo necesario
- ❏ **B.** con poca frecuencia
- ❏ **C.** con mucha frecuencia

5. Si comparte el uso de su coche:

- ❏ **A.** gastará menos
- ❏ **B.** contaminará menos
- ❏ **C.** viajará con sus amigos

DEBATE

¿CREES QUE EL PROBLEMA DE LA CONTAMINACIÓN ES TAN ALARMANTE COMO SE DICE?
¿QUÉ HARÍAS TÚ PARA ELIMINARLA DE TU CIUDAD?

Las preposiciones

SITUACIONES

Las preposiciones **por** y **para** son las que más problemas suelen presentar en español. Intenta deducir los valores de cada una según su contexto. Te damos algunas pistas:

PARA

finalidad
plazo, fecha próxima
opinión
destinatario

POR

causa
sustitución
periodicidad
lugar aproximado

1.

¡PASEN POR AQUÍ PARA VER AL INCREÍBLE HOMBRE MÁS FEO DEL MUNDO!

2.

La Reina de las Pizzas

Por su frescura, por su sabor, por su elaboración, por su presentación, por sus ingredientes, por su precio. Y, naturalmente, por su tamaño, el mayor del mercado

3.

La corrupción es el principal problema político para el 43% de los entrevistados

4.

Desde el martes habrá patrullas a pie por todos los distritos

5.

Baje 2 kilos por semana

6.

THYSSEN, UN MUSEO PARA EL SIGLO XXI

7.

YO UTILIZO GAFAS PARA LEER

8.

DIVERSIÓN PARA LOS CHICOS

KARAK, UN NUEVO LOCAL PARA LOS UNIVERSITARIOS

9.

Te damos hasta 300 euros por tus viejos altavoces

GRAMÁTICA

- Relacionan palabras dentro de la oración y son invariables: **en** *verano voy caminando* **desde** *la oficina* **hasta** *mi casa.* En ocasiones, la preposición es exigida por el verbo: *confía* **en** *mí.* A continuación te ofrecemos un listado de las preposiciones y locuciones más usuales en español:

> a, ante, bajo, con, contra, de, desde, en, entre, hacia, hasta, para, por, según, sin, sobre, tras, mediante, durante, excepto, salvo, acerca de, además de, alrededor de, antes de, cerca de, debajo de, delante de, dentro de, después de, detrás de, encima de, enfrente de, frente a, fuera de, junto a, lejos de.

- Dedicaremos esta unidad a las más problemáticas:

de, desde, a, en, para, por

- **Posesión**, pertenencia: *Ese coche tan lujoso es de un ejecutivo.*

- **Origen**, nacionalidad: *Estas copas son de Bohemia.*

- **Materia:** *Nos encantan los muebles de madera antigua.*

- **Caracterización:** *Las novelas de aventuras son muy amenas.*

- **Tiempo:** *Los comercios abren de 9 a 1 los sábados.*

- **Espacio:** *De su casa a la mía se puede ir andando, vivimos muy cerca.*

- **Contenido:** *Compré una bolsa de naranjas (=llena de naranjas).*

- **Parte:** *Quiero un poco de pastel.*

- **Causa:** *Se murió de tristeza.*

- **Modo** (de pie, de rodillas, de lado, de frente, de cabeza, de repente, de golpe...): *De repente, se dio cuenta de que lo habían dejado solo.*

- **Superlativo:** *Es la obra más valiosa del museo.*

- **Expresión** SUSTANTIVO + *de* + SUSTANTIVO: *Es una joya de hombre / Es una maravilla de coche / Es un desastre de secretario.*

8.3. DESDE

- *Tiempo:*

    – correlación *desde...hasta* (período con punto de origen y límite):

    Trabajó desde que terminó la carrera hasta que se casó.

    – momento exacto:

    Trabajo en esta empresa desde junio.

- *Espacio:*

    – correlación *desde...hasta* (espacio con punto de origen y límite):

    Hay siete kilómetros desde la escuela de idiomas hasta la gasolinera.

    – punto exacto:

    El testigo vio el accidente desde la ventana de su casa.

Utiliza las preposiciones *de* o *desde* en las siguientes frases.

1. *Prefiero esas sillas porque son* .... *madera.*

2. *Te estoy esperando* .... *las ocho.*

3. *Esa caja está llena* .... *chinchetas.*

4. *Me gustan las películas* .... *acción.*

5. .... *que aprobó no ha vuelto a estudiar.*

6. *Esos mapas son* .... *Luis.*

7. *Tu regalo es el mejor* .... *todos.*

8. *No trabaja* .... *que tuvo el accidente.*

9. *Tenemos mucho tiempo* .... *hoy hasta finales* .... *mes.*

10. *Siempre camina* .... *lado.*

11. .... *aquí no veo nada.*

12. *Dame un poco* .... *queso.*

13. *Fuimos hablando* .... *su casa hasta la mía.*

14. *No ha dejado de quejarse* .... *que te marchaste.*

15. *Me caí* .... *rodillas.*

16. *Se cansó* .... *esperar.*

17. *Han venido corriendo* .... *su casa.*

18. *Ese chico es un pedazo* .... *pan.*

19. *Nos acompañaron* .... *la cafetería hasta la playa.*

20. *Es un tesoro* .... *niño.*

Utiliza las preposiciones *de* o *desde* cuando sea necesario.

21. *Nos conocemos* .... *ayer.*

22. *No he podido recuperar la caja* .... *cerveza.*

23. *Es la ciudad más bonita* .... *toda Europa.*

24. *No me gusta tu manera* .... *hablar.*

25. *Ese vino es* .... *gallego.*

26. *No he vuelto a verlo* .... *que se puso a trabajar.*

27. *Quiero un poco* .... *más.*

28. *Es el restaurante más caro* .... *Granada.*

29. *Esos muebles son* .... *antiguos.*

30. *Lo hicieron todo* .... *golpe.*

31. *Los pinceles que hay allí son* .... *tuyos.*

32. .... *que se separaron, no han dejado* .... *escribirse.*

33. *Es una joya* .... *esta chica.*

34. *Esa frase la conozco, es* .... *Quevedo.*

8.4. A

- **Complemento directo** que hace referencia a seres animados:

    Está buscando al gato (se refiere a un animal; *está buscando el gato* haría referencia a la herramienta que tiene ese nombre).

    Excepto con el verbo *tener*: *Tengo una madre* fantástica.

- **Complemento indirecto:**

    A mí no me lo han dicho.

- **Espacio:**

    – de...a: *De aquí al cruce hay unos veinte kilómetros.*

    – dirección: *Nos vamos a París.*

    – distancia: *La farmacia está a doscientos metros de aquí.*

    – expresiones: *Al fondo, a la derecha, a la izquierda, al final de...*

- **Tiempo:**

    – de...a: *De lunes a viernes voy a clase de gimnasia por la noche.*

    – hora exacta: *La conferencia empieza a las cinco.*

    – expresiones: *A mediodía, a medianoche.*

    – periodicidad: *Tenemos clase de gramática tres veces a la semana.*

    – edad: *A los tres años ya sabía leer.*

- **Modo:**

  – instrumento: *a mano, a máquina*.

  – estilo: *a la francesa, a la romana, a lo grande*...

- Recuerda además dos usos ya explicados:

  – órdenes: *¡a callar!*

  – precio: *los huevos están a dos euros la docena*.

8.5. EN

- **Tiempo:**

  – tiempo exacto (años, meses, estaciones, épocas):

  En 1992/ enero/ invierno/ Navidad/ viajó por Brasil.

  – tiempo que dura una acción:

  Escribió la carta en veinte minutos/ dos horas/ distintos momentos...

- **Espacio:**

  – con sentido de ausencia de movimiento:

  Siempre han vivido en La Paz.

  – lugar encima o dentro del cual se encuentra algo:

  Las llaves están en la mesa/ el bolso.

- Se usa también con algunas prendas de vestir de carácter informal:

  Cuando llegó, yo estaba en bata/ zapatillas/ pijama/ bañador/ mangas de camisa...

Utiliza las preposiciones *a, en* o *de* en las siguientes frases.

1. *Siempre que vienes a verme estoy* .... *zapatillas.*

2. *He tenido que hacer el trabajo* .... *mano.*

3. *Tú siempre estás disfrutando* .... *lo grande.*

4. *Creía que el maletín lo habías dejado* .... *casa.*

5. .... *los diez años ya tocaba el piano muy bien.*

6. *Solucionaremos todo* .... *cinco minutos.*

7. *Han dicho que llamarían* .... *dos* .... *tres.*

8. .... *ti no han querido decirte nada.*

9. *Nunca llueve* .... *verano.*

10. *Voy a clase* .... *lunes* .... *viernes.*

11. *Visitamos* .... *Pablo* .... *Escocia.*

12. *Terminaremos este libro* .... *primavera.*

13. *El programa de televisión empieza* .... *las 12.*

14. .... veces se despierta gritando .... medianoche.

15. Ahora los plátanos están .... mitad de precio.

16. Me gusta mucho la tarta .... coco.

17. Creo que llegaremos .... tiempo.

18. Los niños llevan una hora .... el agua.

19. Nunca quiere que la acompañemos .... su casa.

20. Compramos las alfombras .... la India.

21. Recibiremos .... los invitados .... las tres.

22. Estas cosas suelen ocurrir .... menudo.

23. Se ha enamorado locamente .... esa chica.

24. Anda .... puntillas para no despertar .... nadie.

25. Es un demonio .... niño.

26. Encontraron las gafas .... la biblioteca.

27. Podré desayunar contigo .... ocho .... nueve.

28. Tenemos que resolver el problema .... una hora.

29. Es la zona más antigua .... la ciudad.

30. No metas esa caja .... el maletero.

31. .... mis amigos no les gustó la película.

32. Se casaron .... enero y se divorciaron .... los tres meses.

33. Está sonando el teléfono. ¿Quién será .... estas horas?

34. Hace mucho tiempo que se fue .... aquí.

35. El vino está .... la bodega.

8.6. PARA

- **Finalidad** o utilidad:

  Fumar es malo para la salud.   Vine para verte.

- Complemento indirecto con sentido de destino:

  Esta pluma es para ti.

- Con verbos de movimiento expresa **dirección** (como hacia) pero le añade sentido de destino:

  Se fue para Barcelona el lunes.

- **Tiempo:**

  – final de un plazo: Terminaré el trabajo para mayo.

  – fecha aproximada (futura): Vendrá para septiembre / para el verano.

- Ante nombre (o pronombre) indica **opinión:**

  Para Cervantes, los celos eran la peor enfermedad del hombre.

- **Estar para** indica inminencia o proximidad de la acción:

    Está para llover.   *El autobús está para salir.*

    No estar para expresa ausencia de disponibilidad y de humor:

    No estoy para bromas/ para discursos/ para nadie.

- **Expresiones:**

    – que indican la escasa importancia de lo que se trata:

    Para lo que has hecho, mejor no hubieras hecho nada.

    – que significan "a pesar de", "teniendo en cuenta que":

    Para tener sesenta años se conserva muy bien.

    – que indican valoración intensificadora:

    Para mala letra, la de Carmen.   *Para playas bonitas, las de Cádiz.*

8.7. POR

- **Causa** de una acción, motivo por el que se realiza:

    Estudió Medicina por su padre.   *Fue detenido por conducir borracho.*

- **Complemento agente** de los verbos en pasiva:

    *El **Lazarillo** fue escrito por un autor desconocido.*

- **Espacio:**

    – lugar indeterminado:

    ¿El libro? Lo dejé por ahí.

    – movimiento o paso por un lugar:

    Está paseando por el parque.

    – con un verbo de movimiento y otra preposición, expresa lugar aproximado:

    Pasaron por entre las flores / por delante de la catedral / por debajo del arco.

- **Tiempo**:

    – partes del día: *por la noche, por la mañana, por la tarde.*

    – época del año: *me iré a Galicia por Semana Santa, por Navidad.*

    – tiempo aproximado: *por lo años cincuenta, por esas fechas.*

    – periodicidad: *viene tres veces por semana / a 20 km por hora.*

- Idea de **sustitución**, "en lugar de":

    Hoy vengo yo por (=en lugar de) mi hermana, ella está enferma.

- **Medio:**

    Lo enviaré por barco/ avión/ tren.   *Se lo diré por teléfono.*

- **Precio:**

  Me vendieron la bicicleta por poquísimo dinero.

- **Estar por:**

  – con sujeto personal, "tener ganas de":

  Estoy por irme al cine y dejar el trabajo a medias.

  – con sujeto no personal indica que algo *está sin* hacer:

  El tren está por salir (=no ha salido).

- Con algunos verbos de movimiento expresa **finalidad**:

  Bajó/ fue/ salió por pan (=para comprar pan).

Utiliza las preposiciones *por* o *para* en las siguientes frases.

1. *Tus guantes deben de estar .... algún lado.*

2. *Los profesores fueron convocados .... el director.*

3. *No han dejado nada .... tu hermano.*

4. *Ha venido a la fiesta .... ti.*

5. *Se irá .... septiembre.*

6. *Hace un rato se fue .... la oficina.*

7. *Puedes conseguirlo .... muy poco dinero.*

8. *Está muy joven .... su edad.*

9. *La policía te está buscando .... todo el edificio.*

10. *Siempre nieva .... Navidad.*

11. *Tal vez esto no tenga sentido .... vosotros, pero .... ellos sí.*

12. *Fue .... cerveza a la tienda.*

13. *Ha sido castigado .... su comportamiento.*

14. *........................ mí eso es muy fácil.*

15. *Está .... que le dé un infarto.*

16. *Hoy daré la clase .... ella.*

17. *........................ imaginación, la de mis sobrinos.*

18. *Me ha dicho que no está .... nadie.*

19. *Siempre pasa .... debajo de mi balcón.*

20. *Tú aún no habías nacido .... esas fechas.*

21. *Eso es demasiado infantil .... él.*

22. *Se fue .... Costa Rica.*

23. *Pasamos .... tu casa .... saludarte.*

24. *Ha sido castigado .... tu culpa.*

25. *Deja lo libros .... ahí.*

26. *........................ ti es muy fácil decir eso.*

27. *Envíame el documento .... correo urgente.*

28. *Su actitud fue elogiada .... sus amigos.*

29. Lo están buscando .... toda la ciudad.

30. Estoy .... llamar y decir que no puedo ir.

31. Me parece que no está .... bromas.

32. Buscaron .... entre los escombros.

33. Mi contrato termina .... abril.

34. Esto no servirá .... nada.

35. .... mal gusto, el de Arturo.

Completa con la preposición adecuada las siguientes frases y comenta el matiz.

36. Nos veremos .... la tarde.

37. Volví a ver .... Pedro .... la calle.

38. Me dijo que el restaurante estaba .... aquí.

39. Adoro .... los animales.

40. .... que estuvo enfermo ha cambiado mucho.

41. Llama dos veces .... semana .... saber cómo está su padre.

42. ¿Me puedes pasar esto .... máquina?

43. Todos nos quedamos callados .... repente.

44. Esa carta debe de estar guardada .... algún sitio.

45. Se lo dijeron .... teléfono.

46. .... aquí no veo nada.

47. No hay mucha distancia .... tu apartamento .... mi casa.

48. Abrirán .... las nueve en punto.

49. Ahora la ropa está .... mitad de precio.

50. Hoy he estado .... pijama todo el día.

51. Hablamos muy .... menudo .... teléfono.

52. No me gusta que comas .... bata.

53. Nunca he estado .... Panamá.

54. .... otoño viajaremos .... todo el mundo.

55. ¿Por qué siempre vas en mangas .... camisa?

56. Es la chica más simpática .... toda la clase.

57. .... veces me deprimo demasiado.

58. No paró de reír .... que entró .... que se fue.

59. Se fue de su casa .... los 18 años.

60. Está todo .... resolver.

61. Aquí siempre refresca .... la noche.

62. .... medianoche siempre me levanto muerto .... hambre.

63. He venido .... otros motivos.

64. Me dijo que estaría aquí .... unos minutos.

65. Aprecio .... las personas sinceras.

ACTIVIDADES

1. Utiliza **de pie, de rodillas, de lado, de frente, de cabeza, de repente** y **de golpe** para continuar la siguiente historia:

De repente, se dio cuenta de que estaba atado. Se oían pasos...

2. Explica el valor de las preposiciones en las siguientes frases. Luego busca en la prensa otros ejemplos y analízalos con tus compañeros:

De la exageración de formas a la funcionalidad

La producción de coches cae en octubre por cuarto mes consecutivo

Los derechos de los ciudadanos

3. Cuenta tu propia biografía usando las preposiciones adecuadamente.

Nací en 1976...
A los 14 años ingresé en el instituto...

4. Inventa una noticia periodística utilizando las siguientes preposiciones en el mismo orden en que aquí aparecen:

a, de, desde, en, para, por.

5. Realiza la siguiente actividad con tus compañeros. Estas frases están desordenadas y cada uno debe copiar una línea y buscar a la persona que tiene la segunda parte de la frase que se corresponda con la suya. Pierde el que se quede con media frase sin terminar. También puedes realizar el ejercicio uniendo un fragmento del bloque derecho con otro del izquierdo, de modo que resulten todas las frases con sentido.

Me voy •	• **de** la secretaria
No me había divertido tanto •	• **a** la vecina
Sólo le gustan las películas •	• **para** Puerto Rico de vacaciones
Me aburre este libro, estoy •	• **por** ti
Terminaremos •	• **de** Cerdeña
Esa taza es •	• **a** la profesora en el autobús
No salgas, está •	• **desde** que celebré mi cumpleaños
Vieron ayer •	• **en** cinco minutos
La cocaína fue confiscada •	• **de** ciencia ficción
Estos amigos son •	• **por** Navidad
Pídele las cerillas •	• **de** chocolate
Me acabo de comer una tableta •	• **para** nevar
Tiene muy buen aspecto •	• **por** las bebidas
Hemos quedado •	• **a** mano
Iremos a casa •	• **de** frío
No le gusta coser •	• **por** la policía
El mejor vino es el chileno, •	• **de** siete **a** nueve
Le encargaron ir •	• **para** mí
Suele conducir •	• **en** primavera
Este mantel está hecho •	• **de** cerveza
Haremos el examen •	• **a** medianoche
Me encanta nadar •	• **a** las siete **en** la esquina
Se conocieron •	• **por** la noche
Hazlo tú •	• **por** los años sesenta
Tomaré un poco •	• **a** 130 **por** hora
Siempre se va •	• **por** dejar de leerlo
Estudia guitarra •	• **en** el mar
El canario murió •	• **por** ella, que no sabe
Vamos a hacerlo •	• **para** tener ochenta años

6. Trabajas en la Oficina de Turismo de tu ciudad y alguien te pregunta cómo ir al museo más importante. Busca un plano y dile en imperativo el camino que debe seguir. Luego, repite el ejercicio con otros lugares. Usa las preposiciones adecuadas.

TEXTOS

Que por mayo era, por mayo,
cuando hace la calor
cuando los trigos encañan
y están los campos en flor,
cuando canta la calandria
y responde el ruiseñor,
cuando los enamorados
van a servir al amor:
menos yo, triste y sombrío,
que vivo en esta prisión:
que ni sé cuándo es de día
ni cuándo las noches son,
sino por una avecilla
que me cantaba al albor.
Matómela un ballestero;
dele Dios mal galardón.

Romance anónimo (España)

LÉXICO

- **Encañar:** empezar a formar cañas los tallos tiernos de los cereales.

- **Calandria:** alondra (ave).

- **Sombrío:** melancólico, triste.

- **Al albor:** al alba, al amanecer.

- **Ballestero:** el que tira con ballesta, arma antigua parecida al arco.

- **Galardón:** premio.

CUESTIONES

I.
- ¿Quién es el protagonista?
  ¿Dónde está?

II.
- Encuentra las preposiciones que hay en el poema y explica sus valores. ¿Por qué se habla de servir *al* amor?

- Reflexiona sobre el orden de los pronombres en **matómela** y **dele**.

III.
- ¿Sabrías explicar por qué se habla de la calor? ¿Conoces otros sustantivos que puedan presentar el mismo caso?

- Indica la razón de que lleve tilde **cuándo** en la segunda parte del poema.

El tren no se había usado desde la fiesta inaugural, diez años antes, y estaba en ruinas, de modo que hicieron el viaje en automóvil, presididos por los guardias y empleados que partieron una semana antes llevando todo lo necesario para devolver al Palacio los lujos del primer día. El camino era apenas un sendero defendido de la vegetación por cuadrillas de presos. En algunos momentos tuvieron que usar machetes para quitar los helechos y bueyes para sacar los coches del barro, pero nada de eso disminuyó el entusiasmo de Marcia. Estaba deslumbrada por el paisaje. Soportó el calor húmedo y los mosquitos como si no los sintiera, atenta a esa naturaleza que parecía envolverla en un abrazo. Tuvo la impresión de que había estado allí antes, tal vez en sueños o en otra existencia, que pertenecía a ese lugar, que hasta entonces había sido una extranjera en el mundo y que todos los pasos que había dado, incluyendo el de dejar la casa de su marido por seguir a un anciano, habían sido señalados por su instinto con el único propósito de conducirla hasta allí. Antes de ver el Palacio de Verano ya sabía que ésa sería su última residencia. Cuando el edificio apareció finalmente entre el follaje, rodeado de palmeras y brillando el sol, Marcia suspiró aliviada, como un náufrago al ver otra vez su puerto de origen.

A pesar de los frenéticos preparativos para recibirlos, la mansión tenía un aire de encantamiento. El Palacio de Verano, sumergido en el desorden de una vegetación glotona, se había transformado en una criatura viviente, abierta a la verde invasión de la selva que la había envuelto y penetrado.

Isabel Allende (Chile)
El palacio imaginado

LÉXICO

- **Inaugural:** perteneciente a la inauguración o acto de apertura.
- **Presidir:** tener el primer lugar.
- **Sendero:** senda, camino estrecho.
- **Cuadrilla:** conjunto de personas reunidas para realizar un fin u oficio.
- **Machete:** cuchillo grande y fuerte.
- **Deslumbrar:** dejar a uno perplejo.
- **Glotón:** que come con ansia y gula.

CUESTIONES

I.

- Imagina una historia, un contexto donde pueda situarse este fragmento, y escríbela.

- Explica el sentido de *El camino era apenas un sendero defendido de la vegetación por cuadrillas de presos.*

II.

- Reflexiona sobre el valor de las preposiciones que hay en el texto.

- Analiza las siguientes estructuras:

no se había usado • *todo lo necesario* • *estaba deslumbrada*

■■■

- Observa la gran variedad de pasados que hay en el texto. Explícalos; si es necesario, revisa los cuadros gramaticales de la unidad 3.

- La frase *como si no los sintiera* ofrece una estructura que se estudia en la unidad 11, pero ya puedes constatar que expresa modo y se construye con subjuntivo (imperfecto o pluscuamperfecto). Intenta construir tú una frase similar.

 III.

- Busca palabras que puedan sustituir a las que siguen sin que cambie el significado del texto:

  partieron
  llevando
  vegetación
  barro
  disminuyó
  señalados
  conducirla

- Encuentra todas las palabras relacionadas con los siguientes núcleos de significado:

  'vivienda'

  'vegetación'

  Añade las que tú conozcas.

 EL JUEGO Y LOS PASATIEMPOS

Lee las siguientes preguntas e intenta comprender todo su vocabulario. Luego, escucha atentamente el texto de esta sección y contéstalas, eligiendo sólo una de las tres opciones que se ofrecen.

1. La mujer está angustiada porque:

- ❏ **A.** tiene que pedir dinero prestado
- ❏ **B.** ha perdido todo el dinero jugando a las máquinas tragaperras
- ❏ **C.** tiene que tomar un taxi

2. Los adictos a las máquinas tragaperras:

- ❏ **A.** sacan el dinero de los cajeros automáticos
- ❏ **B.** gastan todo lo que tienen en los bolsillos
- ❏ **C.** no obtienen ningún premio

3. *Estar enganchado* significa:

- ❏ **A.** tener un gancho
- ❏ **B.** estar encadenado a las máquinas de los bares
- ❏ **C.** ser adicto a algún vicio

4. Las personas con mayor dependencia de las máquinas tragaperras son:

- ❏ **A.** los oficinistas
- ❏ **B.** los jubilados
- ❏ **C.** las amas de casa

5. *Ludópata* es la persona que:

- ❏ **A.** no quiere dejar de jugar
- ❏ **B.** no puede dejar de jugar
- ❏ **C.** gasta más de lo que quiere

DEBATE

**COMENTA LAS VENTAJAS Y LOS INCONVENIENTES DEL JUEGO.
¿QUÉ OTROS JUEGOS CONOCES? ¿CUÁLES TE GUSTAN A TI? ¿QUÉ PASATIEMPOS PREFIERES?**

Subjuntivo II.
Oraciones sustantivas

SITUACIONES

1. Observa que en todas estas frases encontramos la estructura **verbo 1 en indicativo + que + verbo 2 en subjuntivo.** Intenta hacer un listado de los verbos que exigen después subjuntivo.

Comerciantes de "Polígono Regalado" temen que sus negocios desaparezcan

NO DEJE QUE JUEGUEN CON SU DINERO

Edinumen quiere que los libros vuelvan a la conversación de la gente

2. A los verbos que expresan actos de comunicación *(decir, asegurar...)* les sigue **que + indicativo** cuando van en forma afirmativa. Pero cuando van en forma negativa exigen **que + subjuntivo.** Pon el ejemplo en forma negativa.

El escritor colombiano asegura que tiene intención de abandonar la isla

3. ¿Podrías transformar los infinitivos de estas oraciones en expresiones personales con **que + verbo en subjuntivo**?

Exige dimitir a sus altos cargos procesados por corrupción

Intenta recuperar el rumbo

4. Observa el comportamiento del verbo tras la construcción **es + adjetivo de valoración** *(importante, extraño...)* **+ que...** ¿Qué conclusiones puedes sacar?

Hace no demasiados lustros era inimaginable que un "macho hispánico" hiciese uso de algo tan tópico hoy como el desodorante, producto que rechazaban de plano al considerarlo poco masculino.

¿NO ES EXTRAÑO QUE JUAN NO HAYA LLEGADO AÚN?

SÍ. MUY EXTRAÑO

No es casual que el libro se cierre con la evocación de las figuras de José Asunción Silva y Rubén Darío.

5. Hemos estudiado en la unidad 1 la construcción **es que...** Observa que, en forma negativa, exige después subjuntivo, y en forma afirmativa, indicativo. Intenta construir tú también explicaciones basadas en la estructura de esta frase:

NO ES QUE LLEGUES EL PRIMERO. ES QUE TODO EMPIEZA CUANDO LLEGAS TÚ

6. **Es + adjetivo de certeza** *(evidente, seguro, obvio...)*, en cambio, se comporta de manera diferente, pues en forma afirmativa va con verbo en indicativo. Transforma esta frase en afirmativa:

Pero, en realidad, no es evidente que el referéndum llegue a celebrarse ni que voten en él un 50% de los ciudadanos

GRAMÁTICA

9.1. INTRODUCCIÓN

- Las oraciones sustantivas suelen presentar las siguientes estructuras:

  A. **Verbo 1 (indicativo) + que + verbo 2 (indicativo / subjuntivo)**

  Dice que viene.   Quiero que aceptes.

  B. **Verbo 1 (indicativo) + verbo 2 (infinitivo)**

  Espero llegar a tiempo.

- Los verbos que presentan estas estructuras pueden actuar según dos reglas diferentes, por lo que los clasificaremos en dos grupos.

9.2. GRUPO I

- **REGLAS**

  – si el verbo 1 y el verbo 2 tienen el **mismo sujeto**, el verbo 2 va en **infinitivo**.

  Deseo (=yo) llegar (=yo) pronto.

  – si el verbo 1 y el verbo 2 tienen **distinto sujeto**, el verbo 2 va en **subjuntivo**.

  Deseo (=yo) que llegues (=tú) pronto.

- **VERBOS.** Siguen esta regla los verbos que expresan:

  – **Voluntad:** querer, conseguir, desear, intentar...

  Consiguió aprobar el examen.   Consiguió que aprobaran todos sus alumnos.

  – **Influencia, mandato, consejo, ruego:** ordenar, mandar, exigir, aconsejar, recomendar, rogar, pedir, suplicar, decir[1]... Observa que este tipo de verbos presupone estructuras con dos sujetos, y la construcción de infinitivo es diferente:

  Nos aconsejó que lo intentáramos.   Nos aconsejó intentarlo.

  – **Sentimiento, apreciación, juicio de valor, duda:** gustar, encantar, divertir, lamentar, dudar, ser posible, sentir[1]...

  Siento no poder ayudarte.   Siento que tengas que hacerlo solo.

  Se incluyen aquí los verbos ser, estar, parecer + ADJETIVO, SUSTANTIVO, ADJETIVO para expresar juicios de valor; admiten ambas estructuras:

  Es lamentable que venga borracho / venir borracho.

  Está mal que sea tan impuntual / ser tan impuntual.

  Observa que en estos casos la alternancia corresponde a presencia y ausencia de sujeto, pues las expresiones en infinitivo no hacen referencia a un sujeto específico.

Nota. Hay verbos que tienen dos significados, como: **DECIR** [1] ➡ ordenar / **DECIR** [2] ➡ comunicar; **SENTIR** [1] ➡ lamentar / **SENTIR** [2] ➡ darse cuenta.

Pon el verbo entre paréntesis en la forma adecuada, *INFINITIVO O QUE + VERBO* **en** *FORMA PERSONAL.*

MODELO: *Quería (valorar, ellos)* ___*que valoraran*___ *el trabajo.*

1. *Sintió mucho (no poder, tú)* __que no puedas__ *asistir al debate.*
2. *Quiero (estar)* __estar__ *todo preparado para las seis.*
3. *Deseaban (formar, ellos)* __formar__ *parte del equipo.*
4. *Te recomiendo (ir, tú)* __que vayas__ *al médico.*
5. *En ese colegio exigen (llevar)* __que lleven__ *todos los alumnos el mismo uniforme.*
6. *Yo te habría aconsejado (aceptar, tú)* __que aceptes__ *ese trabajo.*
7. *Lamento (haber, yo)* __haber__ *roto el jarrón.*
8. *Te exijo (decirme, tú)* __que me digas__ *la verdad.*
9. *Es difícil (conseguir, tú)* __que consigas__ *una beca.*
10. *Prefiero (conducir, él)* __que conduzca__ *el coche.*
11. *Sólo pretendo (escucharme, ellos)* __que me escuchen__ *de una vez.*
12. *Sus padres se han opuesto a (venir, él)* __venir__ *con nosotros.*
13. *Me extraña (marcharse, ella)* __que se marchen__ *sin decir adiós.*
14. *Nos han pedido (volver, nosotros)* __que volvamos__ *el próximo verano.*
15. *Es una lástima (tener, nosotros)* __que tengamos__ *que marcharnos tan temprano.*
16. *El portero no nos dejó (entrar)* __entrar__ *a todos.*
17. *Le habían aconsejado (esperar, él)* __que espere__ *hasta mañana.*
18. *Es mejor (quedarse, ella)* __que se quede__ *en cama unos días.*
19. *¿Os recomendaron (ver)* __ver__ *aquella exposición?*
20. *Basta con (arrepentirse, tú)* __arrepentirte__ *de lo que has hecho.*
21. *Es imprescindible (comprenderme, vosotros)* __que me comprendáis__ *.*
22. *Se cansó de (esperar, él)* __esperar__ *a aquella mujer.*
23. *Prefiero (decírselo, vosotros)* __que se os lo digáis__ *; es un tema muy delicado.*
24. *Me dio mucha pena (quedarse, ellos)* __que se queden__ *solos.*
25. *Todos hemos sentido (perder, tú)* __que pla pierdas__ *ese empleo.*
26. *Me encanta (viajar, yo)* __viajar__ *en tren.*
27. *Es inútil (intentar, nosotros)* __que intentemos__ *explicarlo.*
28. *No soporto (hablarme, ellos)* __que me hablen__ *así.*
29. *Desearíamos (hacer, nosotros)* __hacer__ *algo por ti.*
30. *No es bueno (ser, ella)* __que sea__ *tan impulsiva.*

9.3. GRUPO II

- *REGLA*

  – si el verbo 1 es **afirmativo**, el verbo 2 va en **indicativo**.

  *El presidente **ha dicho que hay** crisis económica.*

– si el verbo 1 es **negativo**, el verbo 2 va generalmente en **subjuntivo**.

> *El presidente no ha dicho que haya crisis económica.*

aunque a menudo admite indicativo:

> *El presidente no ha dicho que hay crisis económica.*

– si el verbo 1 es una orden negativa, el verbo 2 va en indicativo:

> *No creas que es verdad.*

– si el verbo 1 es una pregunta negativa, el verbo 2 va en indicativo:

> *¿No crees que es verdad?*

- **VERBOS.** Siguen esta regla los verbos que expresan:

  – **Actividad mental:** *creer, pensar, considerar, opinar, recordar, suponer...*

  > *Creo que está loco.*   *No creo que esté loco.*

  – **Comunicación:** *decir², contar, narrar, murmurar, explicar, responder...*

  > *Dijo que estaba en casa.*   *No dijo que estuviera en casa.*

  – **Sentido:** *ver, oír, darse cuenta, comprobar, observar, sentir²...*

  > *Vimos que venía un taxi.*   *No vimos que viniera un taxi.*

  Los verbos *ver* y *oír* pueden construirse también con infinitivo:

  > *Vimos venir un taxi.*

  – **Certeza:** *es verdad, está claro, es obvio...*

  > *Es verdad que ha aceptado.*   *No es verdad que haya aceptado.*

Pon el verbo entre paréntesis en la forma adecuada.

1. *Ayer supe que (irse, tú)* .... *de la ciudad.*

2. *No está muy claro que (aceptar, ellos)* .... *nuestra oferta.*

3. *Pensaron que (venir)* .... *una enfermera.*

4. *Habrán descubierto que (mentir, nosotros)* .... *el otro día.*

5. *No me digas que (hacer, yo)* .... *el ridículo.*

6. *¿Crees que (tener, nosotros)* .... *dinero suficiente para el regalo?*

7. *He soñado que me (robar)* .... *el bolso.*

8. *¿No has observado que (estar, él)* .... *muy raro últimamente?*

9. *Simplemente habría contestado que no (saber)* .... *nada.*

10. *Murmuran que le (meter, ellos)* .... *en la cárcel.*

11. *No me creo que (perder, vosotros)* .... *todo el equipaje.*

12. *No comprenden que (tener, yo)* .... *que trabajar los fines de semana.*

13. *Me dijo que no (volver)* .... *a intentarlo.*

14. Juro que te lo (decir, yo) .... a ti únicamente.

15. ¿Piensas que (ser) .... suficiente con esto?

16. El telegrama decía que (venir, él) .... rápidamente.

17. No pienses que (ser, él) .... un ingrato.

18. Me confesó que no (estudiar, él) .... nada.

19. No supuse que (marcharse, tú) .... tan pronto.

20. No es seguro que te (poder, nosotros) .... dar una solución.

21. Me han respondido que lo (dejar, nosotros) .... descansar.

22. ¿No te han comentado que (querer, ellos) .... cambiar de trabajo?

23. Está claro que no (tener, él) .... dinero.

24. No se dio cuenta de que la (mirar, él) .... fijamente.

25. Nos han contado que (tocar, él) .... bien la trompeta.

26. No permitas que te (contestar, ellos) .... siempre lo mismo.

27. Dicen que (caerse, él) .... por las escaleras.

28. ¿Es verdad que (jubilarse, tú) .... este año?

29. La policía comprobó que el ladrón no (llevarse) .... nada de valor.

30. ¿No te das cuenta de que (hacer, ella) .... trampas?

9.4. EXPRESIONES

- **ES QUE**

  - **Es que** + INDICATIVO:

    Ya sé que llego tarde, pero *es que hay* mucho tráfico hoy.

  - **No es que (no)** + SUBJUNTIVO:

    No es que no quiera ir, *es que estoy* realmente muy ocupado.

    No es sólo que me moleste, *es que* simplemente no lo *acepto*.

- **EL HECHO DE QUE**

  - Al principio de la oración: + SUBJUNTIVO:

    El hecho de que haya aceptado no significa que le guste el trabajo.

  - En otros casos: + INDICATIVO o SUBJUNTIVO:

    No debes creer que le gusta ese trabajo *por el hecho de que lo ha/haya aceptado*.

 Pon el infinitivo en el tiempo y modo adecuados.

1. Si no contesta es que no (saber, él) .... qué decir.

2. No es que (estar, él) .... enfadado contigo. Es que no (tener) .... ganas de hablar hoy.

3. El hecho de que (ser, tú) .... mayor no te da derecho a nada.

4. No es que no (querer, yo) .... salir, es que no (poder, yo) .... andar.

5. El hecho de que no (llamar, ellos) .... todavía no significa que les (pasar) .... algo.

6. El hecho de que no (venir, él) .... no tiene ninguna importancia.

7. No es que (olvidar, yo) .... los sellos, es que el estanco (estar) .... cerrado.

8. No es que (aburrirse, yo) ...., es que (tener, yo) .... mucho sueño.

9. El hecho de que (ser, él) .... tímido no significa que no tenga personalidad.

10. Si no vengo pronto es que (perderse, yo) ....

Explica el significado de los siguientes pares de frases.

11. Sintió que estaba muy cansado.
Sintió que estuviera muy cansado.

12. Dijo que los empleados venían muy temprano.
Dijo que los empleados vinieran muy temprano.

13. Han pensado que vas tú solo.
Han pensado que vayas tú solo.

14. Dijeron que tendrían cuidado.
Dijeron que tuvieran cuidado.

15. Mis padres me recordaron que no trabajaba.
Mis padres me recordaron que no trabajara.

Pon el infinitivo en la forma adecuada.

16. No creo que (subir) .... más el precio de la gasolina.

17. Es lamentable que le (echar, ellos) .... a él la culpa.

18. No es verdad que (estar, ellos) .... arruinados.

19. Conseguirás que todos (enfadarse) .... contigo.

20. Mi abuela quiere (venir) .... a verme.

21. El reportero comprobó que la noticia (ser) .... falsa.

22. El fontanero intentó (arreglar) .... la avería.

23. No quiere (trabajar, él) .... con su familia.

24. No digas que lo (hacer, nosotros) .... mal.

25. Nos pidió que nos (callar) .... un rato.

ACTIVIDADES

1. Estás muy enfadado con tu compañero de piso porque nunca hace nada en casa y tú siempre tienes que limpiar, hacer la comida, lavar, etc. Habla con él para que cambie de actitud. Aquí tienes una lista de verbos que pueden ayudarte.

- Aconsejar
- Pedir
- Recomendar
- Suplicar
- Rogar
- Decir

2. El dueño de una empresa reúne a todos sus empleados para hablarles de las nuevas normas. Construye su discurso.

Exijo que todos sean muy puntuales...

Espero...

Recomiendo...

3. La protagonista de la siguiente historia tiene problemas para expresar sus sentimientos. ¿Por qué no la ayudas a expresarlos de otra manera? Estos verbos y expresiones pueden serte útiles:

- Gustar
- Lamentar
- Dudar
- Esperar
- Odiar

    ...

- Es posible
- Es preciso
- Es necesario
- Está demostrado
- Es un disparate
- Es una suerte
- Es un estúpido
- Es maravilloso
- Es una lata
- Es un inútil
- Está visto

    ...

4. Podemos expresar juicios de valor con:

ser / estar / parecer
+
ADJETIVO, SUSTANTIVO, ADVERBIO

Emite juicios de valor ante las siguientes situaciones:

• *Te has enterado de que hay un profesor que va borracho a clase.*

• *Estás enfadado porque un empleado de la secretaría ha sido muy grosero contigo.*

• *Estás cansado de que siempre te tengan que decir lo que está bien o mal.*

• *Tus jefes acaban de explicarte que no van a ascenderte.*

MODELO: *Es verdad que... / Está claro que... / Me parece bien que...*

5. ¿Qué opinas sobre los programas de televisión que hay actualmente en tu país? Los siguientes verbos pueden ayudarte para dar una opinión:

• *Creer*

• *Considerar*

• *Reconocer*

• *Saber*

• *Opinar*

• *Deducir*

• *Pensar*

• *Suponer*

• *Explicar*

6. ¿Qué estructura es la que aparece en este anuncio publicitario? Inventad otros similares y después comentadlos en clase.

ES INÚTIL QUE BUSQUE UNA ZAPATILLA MÁS LIGERA QUE ÉSTA

NO LA HAY.

TEXTOS

Se equivocó la paloma.
Se equivocaba.
Por ir al norte, fue al sur.
Creyó que el trigo era agua.
Se equivocaba.

Creyó que el mar era el cielo;
que la noche, la mañana.
Se equivocaba.

Que las estrellas, rocío;
que la calor, la nevada.
Se equivocaba.

Que tu falda era tu blusa;
que tu corazón, su casa.
Se equivocaba.

(Ella se durmió en la orilla.
Tú, en la cumbre de una rama).

Rafael Alberti (España)
Metamorfosis del clavel (3)

CUESTIONES

I.

- Se han encontrado tres explicaciones a este poema:

  ❑ *La paloma es España vista desde el exilio.*

  ❑ *La paloma es el poeta y la destinataria del poema es la patria.*

  ❑ *La paloma es el poeta y representa el error de su instinto amoroso.*

  ¿Cuál prefieres tú? Razona tu respuesta.

- Es fácil encontrar este poema musicado. Podéis escucharlo en clase.

II.

- Encuentra las oraciones sustantivas y explícalas según lo estudiado en esta lección. Transfórmalas en oraciones negativas y realiza los cambios necesarios en el modo del verbo.

III.

- Localiza las parejas de antónimos (palabras de significado contrario) que hay en el poema.

El hombre se acuesta temprano. No puede conciliar el sueño. Da vueltas, como es lógico, en la cama. Se enreda entre las sábanas. Enciende un cigarro. Lee un poco. Vuelve a apagar la luz. Pero no puede dormirse. A las tres de la madrugada se levanta. Despierta a un amigo de al lado y le confía que no puede dormir. Le pide consejo. El amigo le aconseja que haga un pequeño paseo a fin de cansarse un poco. Que en seguida tome una taza de tila y que apague la luz. Hace todo eso pero no logra dormir. Se vuelve a levantar. Esta vez acude al médico. Como siempre sucede, el médico habla mucho pero el hombre no se duerme. A las seis de la mañana carga un revólver y se levanta la tapa de los sesos. El hombre está muerto pero no ha podido quedarse dormido. El insomnio es una cosa muy persistente.

Virgilio Piñera (Cuba)
Insomnio

LÉXICO

- **Conciliar el sueño:** quedarse dormido.
- **Enredar:** enmarañar, confundir y dificultar.
- **Levantar la tapa de los sesos:** matar de un tiro en la cabeza.
- **Persistente:** que permanece de modo constante.

CUESTIONES

I.
- ¿Qué le habrías aconsejado tú al protagonista?

  Da una respuesta completa, utilizando oraciones sustantivas.

II.
- En el texto hay oraciones sustantivas con indicativo y subjuntivo. Explica el uso de los dos modos.

- Halla las oraciones reflexivas y construye tú otras similares. Observa que hay verbos con *se* que no son reflexivos; explica por qué.

III.
- Busca sinónimos, intercambiables en el texto, para las siguientes palabras:

  temprano • lógico • cigarro • dormir • logra • sucede

ARTE Y SOCIEDAD

Lee las siguientes preguntas e intenta comprender todo su vocabulario. Luego, escucha atentamente el texto de esta sección y contéstalas, eligiendo sólo una de las tres opciones que se ofrecen.

1. Los colores oscuros corresponden:

❑ **A.** a épocas oscuras de la sociedad española

❑ **B.** al carácter nacional español

❑ **C.** ambas, A y B

2. Para Canogar, el color negro significa:

❑ **A.** el misterio y la trascendencia

❑ **B.** la protesta testimonial

❑ **C.** ambas, A y B

3. La explosión del negro se dio en los años:

❑ **A.** cincuenta

❑ **B.** sesenta

❑ **C.** cuarenta

4. En un museo hipotético del futuro, las obras de los pintores contemporáneos presentarían colores:

❑ **A.** pardos y ocres

❑ **B.** pardos

❑ **C.** pardos, ocres y sobre todo negro

5. El uso del color no es inocente porque:

❑ **A.** no tiene sólo un sentido estético

❑ **B.** la pintura no tiene por qué estar en las nubes

❑ **C.** no tiene relación con las intenciones

DEBATE

¿QUÉ ARTISTAS Y ESTILOS PREFIERES?
¿QUÉ PUEDES DECIR DE PINTURA ESPAÑOLA? ¿Y DE LA PINTURA DE TU PAÍS?

Los relativos. Subjuntivo III.
Oraciones de relativo

10

SITUACIONES

1. Las oraciones de relativo van con indicativo cuando conocemos su antecedente, y con subjuntivo si no lo conocemos:

> *Los estudiantes que han terminado pueden irse (=los conozco).*
>
> *Los estudiantes que hayan terminado pueden irse (=no sé quiénes son).*

Analiza en los siguientes casos el uso de indicativo y subjuntivo.

> **Damos las noticias que la gente demanda**

> **Los mayores piden en su Congreso Nacional pensiones que les aparten de la pobreza**

> **LA FRAGANCIA QUE VISTE AL HOMBRE**

> **...te proporcionamos 2.000 euros para comprar todo lo que quieras.**

2. Lee los siguientes fragmentos y reflexiona sobre los usos de *cuyo (-a, -os, -as)*. Luego explica su valor y uso.

> Cerca del 90 por 100 del Universo está compuesto por una materia invisible, cuya naturaleza aún no ha sido desentrañada por los investigadores. Esta materia oscura podría estar integrada por ciertas partículas aún desconocidas.

> Es una organización cuya única finalidad es la de crear el ambiente adecuado y propiciar las ocasiones para que sus socios puedan establecer una relación inicial de amistad o de profesionalidad cuyo resultado, posteriormente, dependa de manera exclusiva de ellos mismos.

3. La negación del antecedente exige que el verbo vaya en subjuntivo. Observa el ejemplo.

> *¡¡NO HAY DOS SALTOS QUE SEAN IGUALES!!*

4. Transforma en negativa la oración que sigue y haz los cambios de modo correspondientes.

> **Hay quien demuestra su posición privilegiada diseñando yates que dominan la Vuelta al Mundo**

5. Cuando el relativo *que* va tras preposición se suele usar el artículo. Observa los siguientes casos:

> Son los protagonistas de "El último mohicano", una película basada en la mítica novela del escritor James Fenimore Cooper, con la que pretenden obtener el espaldarazo definitivo.

> Los ingenieros estiman que el peligro inicial de una ruptura total de la presa y la consiguiente inundación de los pueblos más cercanos ha disminuido, gracias a la apertura de una de las compuertas, por la que el agua brota furiosamente

GRAMÁTICA

10.1. LOS RELATIVOS I

QUE

- Su **antecedente**, aquello a lo que se refiere, puede ser persona, animal o cosa. Es el más usual de los relativos y es invariable:

    La gata que me habías regalado ha desaparecido.

- **Usos**

    – si lleva preposición, suele llevar artículo:

    Esos son los amigos con los que fui de excursión.

    – si no lleva preposición, va sin artículo normalmente:

    El chico que me saludó se llama Jorge.

    – sin embargo, si el sustantivo se suprime, queda **artículo + que:**

    El que me saludó se llama Jorge.

    – también aparece esa estructura con el artículo *lo* neutro (v. unidad 2).

    Lo que importa es que estás bien.

EL, LA, LO CUAL / LOS, LAS CUALES

- Siempre lleva artículo y suele usarse con preposición. Puede referirse también a persona, animal o cosa, y no puede usarse en oraciones especificativas (v. página 130). Aparece preferentemente con el neutro **lo**:

    La empresa quebró, por lo cual muchos trabajadores se quedaron en paro.

- No conviene abusar de su uso: se suele preferir **que**.

QUIEN, QUIENES

- Se refiere a persona únicamente y nunca lleva artículo. No puede ser sujeto de una oración especificativa y su uso, como el de **cual**, es menos frecuente que el de **que**:

    Quien no tenga culpa, que tire la primera piedra.

- Es el relativo que se usa tras *tener* y *haber* si nos referimos a persona:

    No hay quien lo entienda.

CUYO, CUYA, CUYOS, CUYAS

- Presenta variaciones de género y número. Tiene valor posesivo y va entre dos sustantivos, concordando con el segundo:

    En un lugar de la Mancha, de cuyo nombre no quiero acordarme, vivía un hidalgo... (=no quiero acordarme del nombre del lugar).

- Generalmente se usa sólo en la lengua escrita o formal.

Utiliza adecuadamente los relativos *que* o *cual (-es)* en las siguientes frases, y el artículo cuando sea necesario.

1. Dame todo ....*que*........ no te sirva.

2. Es la niña .... se ha puesto enferma.

3. Había mucho tráfico, por .... llegamos tarde.

4. A la conferencia irán unas personas a .... me gustaría saludar.

5. La casa .... he comprado es nueva.

6. Vinieron todos menos .... tú querías realmente ver.

7. Ése es el cable .... necesitas.

8. Tenemos visita, por .... no podemos salir.

9. Siempre hago .... me ordenan.

10. Desconozco los motivos por .... no ha podido venir.

Utiliza los relativos *que, quienes* o *cuyo (-a, -os, -as)* en las siguientes frases.

11. El profesor fue .... nos dio esa oportunidad.

12. Es una novela .... argumento es muy simple.

13. Con tanto ruido no hay .... pueda oír nada.

14. No encuentro .... quieran ayudarme en este proyecto.

15. Vimos una película .... final estaba cortado.

16. Fueron los periodistas .... organizaron la huelga.

17. Ellos no tienen .... cuide a su perro.

18. Quiero escuchar una canción .... melodía sea agradable.

19. Siempre hace unas redacciones .... finales no tienen sentido.

20. Fue la portera .... nos avisó del robo.

Utiliza adecuadamente pronombres relativos en las siguientes frases.

21. El ventilador .... te han vendido no funciona.

22. Fueron los bomberos .... apagaron el incendio.

23. Te ha llamado una señora .... nombre no recuerdo.

24. Nos dijo todo .... queríamos saber.

25. Aquéllos son los amigos con .... fueron de vacaciones.

26. Aún no ha llegado, lo .... es bastante raro.

27. Ése es el libro de .... portada te hablé.

28. Tiré las carpetas .... estaban estropeadas.

29. Hay .... piensan que eres un cobarde.

30. Todos .... quieran pueden entrar.

10.2. LOS RELATIVOS II

CUANTO, CUANTA, CUANTOS, CUANTAS

- Equivale a *todo lo que*, aunque es más culto o formal, y puede ir solo o ante un sustantivo:

  Dijo cuanto (=todo lo que) quiso.

  Se lo comentó a cuantas personas (=a todas las personas que) vinieron.

COMO

- Equivale a *de la manera que*:

  Haz la composición como (=de la manera que) quieras.

CUANDO

- Equivale a *en el momento que*:

  Podéis venir cuando (=en el momento que) os apetezca.

DONDE

- Equivale a *en el lugar que*:

  Aparca el coche donde (=en el lugar que) te dije.

Utiliza los relativos *cuanto (-a, -os, -as)*, *como*, *cuando* o *donde* en las siguientes frases.

1. *Normalmente te llamo .... tengo un ratito libre.*
2. *Esperaré en el lugar .... nos conocimos.*
3. *Llámame .... llegues.*
4. *Conduce sólo por las zonas .... no hay peligro.*
5. *Ya te he dicho .... sé.*
6. *El dinero está .... tú sabes.*
7. *Vinimos .... lo supimos.*
8. *Colócalo .... te parezca.*
9. *¿Es aquí .... tengo que buscar tus gafas?*
10. *Hizo .... pudo para salvarlo.*
11. *Podrán asistir .... personas lo deseen.*
12. *Iremos de vacaciones .... quieras.*
13. *Me marcharé .... venga a buscarme.*
14. *Desahógate .... lo necesites.*
15. *Déjalo .... puedas.*

Corrige el relativo cuando sea necesario.

16. *Éste es el problema cuya solución no entiendo.*

17. *Los alumnos quienes llegaron tarde no fueron admitidos por el profesor.*

18. *Fue en el último momento cuando decidí no ir.*

19. *El periódico quien reveló la noticia ha sido sancionado.*

20. *Las personas a las cuales esperabas están aquí.*

21. *Hemos terminado con el cual quedaba, podemos retirarnos.*

22. *Todos los que estábamos allí vimos la pelea.*

23. *Ésa es la pregunta en que siempre me suspendían.*

24. *Enciende la radio donde puedas.*

25. *La pareja con la cual estuvimos era muy divertida.*

26. *Ése es el programa el cual más me gusta.*

27. *Se lo dijo a cuantas personas encontraba.*

28. *Lo que me interesa son los resultados.*

29. *Nunca voy donde quiero.*

30. *No hay el que pueda hablar con él.*

10.3. LAS ORACIONES RELATIVAS

- Pueden ser de dos tipos:

    Explicativas o **no restrictivas:**
    Se encuentran entre pausas y van en indicativo:

    > *Los alumnos, **que han aprobado**, obtendrán el diploma (=todos los alumnos).*

    Especificativas o **restrictivas:**
    No se encuentran entre pausas y pueden ir en indicativo o subjuntivo, según se refieran, respectivamente, a algo o a alguien conocido o desconocido.

    > *Los alumnos **que han/hayan aprobado** obtendrán el diploma (=una parte de los alumnos).*

    En el primer caso, sé quienes han aprobado; en el segundo, no.

- *Nota.* La negación del antecedente, es decir, aquello a lo que hace referencia el relativo, exige subjuntivo:

    > *No hay ningún alumno que **haya suspendido**.*   *No conozco a ninguna persona que **hable** ruso.*

Pon el infinitivo en el tiempo y modo adecuados.

1. Ya te contaré lo que (pasar) .... este fin de semana.

2. No aceptan a ninguna persona que no (cumplir) .... los 18 años.

3. Las personas que (estar) .... allí ya habían declarado ante el juez.

4. Necesito una secretaria que (ser) .... eficiente.

5. Recuperaremos el tiempo que (perder) .... esta semana.

6. No hay quien (poder) .... ver con tanta niebla.

7. Todos aquellos que (hacer) .... el examen oral aprobaron la asignatura.

8. Busco los apuntes que te (prestar, yo) .... ayer.

9. No imaginaba que (tener, él) .... tantos problemas.

10. Es imprescindible hablar con quienes (desear) .... ayudarnos.

11. Me dijo que le consiguiera la película que (ser) .... más amena.

12. No encontramos nada que (ajustarse) .... a nuestras necesidades económicas.

13. Todo se solucionó como (esperar, tú) ....

14. Lo que nos (interesar) .... es conseguir ese artículo.

15. Todos, excepto los que no (comer) .... postre, están enfermos.

16. Los jugadores que (lesionarse) .... en el partido no jugarán esta temporada.

17. No vimos nada que (merecer) .... la pena.

18. Las personas con quienes (desear, yo) .... hablar ya se han marchado.

19. Podemos llamar a alguien que (entender) .... de leyes.

20. Piensa lo que (querer, tú) ....

21. Es lo único que (poder, nosotros) .... hacer.

22. Mis primos, a los cuales no (conocer, tú) .... , vendrán ahora mismo.

23. Fue ella quien nos (dar) .... la solución.

24. No había nadie que (poder) .... tranquilizarla.

25. Dime lo que (querer, tú) .... ; no pienso hacerte caso.

26. El informe que nos (enviar, ellos) .... está incompleto.

27. Allí encontrarás a quien (buscar, tú) ....

28. ¿Encontrarán a alguien que (tener) .... esas mismas características?

29. Las flores, que (estar) .... en el balcón, se han estropeado con el granizo.

30. Estaba pensando en otro lugar donde (haber) .... más intimidad.

ACTIVIDADES

1. Juega con tus compañeros a definir objetos utilizando el relativo **que**.

¿QUÉ ES UN CATAMARÁN?

ES UNA EMBARCACIÓN A VELA QUE ESTÁ HECHA CON DOS CASCOS ACOPLADOS

2. Contesta a las siguientes preguntas utilizando la estructura **NOMBRE + RELATIVO** y construye otras similares.

Modelo: *¿Quién es Rufino Tamayo?*

Es un pintor mexicano que se hizo famoso por sus murales.

- ¿Quién ha llamado a la puerta?
- ¿Quién quería hablar contigo?
- ¿Quiénes usan lentillas?
- ¿Qué idioma te gustaría aprender en el futuro?
- ¿Qué regalo harías a un amigo?
- ¿Qué personas van al dentista?

3. Eres el alcalde de la ciudad en la que vives y quieres la opinión de todos los ciudadanos para intentar solucionar sus problemas. Haz un cuestionario para ellos. Después tus compañeros deberán contestarlo utilizando la estructura **NOMBRE + RELATIVO.**

Modelo: *¿Qué crees que necesita esta ciudad para mejorar sus calles?*

Ciudadanos que tengan costumbres más cívicas.

4. Subraya los relativos que aparecen aquí. Luego explica su uso y sustitúyelos por **ARTÍCULO + cual (-es)** cuando sea posible.

■ El historiador británico e hispanista John H. Elliott fue galardonado el día 27 con el premio internacional Elio Antonio de Nebrija, que concede la Universidad se Salamanca a los hispanistas que se distinguen en el estudio, conocimiento y difusión del idioma y cultura españolas.

John H. Elliott fue seleccionado por el Jurado, reunido en Salamanca, entre 138 aspirantes propuestos por diferentes instituciones. El jurado ha distinguido la importancia y altura de las monografías de Elliott, así como la técnica y calidad expositiva de sus obras, que abordan aspectos fundamentales de la historia de España.

Donde antes veías un bastón blanco o una silla de ruedas, ahora ves personas capaces de conseguir todo lo que se proponen. Igual que tú.

Para hacer cualquier tipo de película, aparte de otras muchas y diversas cosas, se requiere un minucioso rigor, tanto en lo referente a los detalles de la historia que se tiene entre manos como a su posterior puesta en imágenes. Cualquier fallo a estos niveles repercute con claridad sobre el resultado final, que fácilmente puede convertirse en poco más de una suma de errores, en una demostración de total falta de rigor.

5. Estás buscando un piso con determinadas características y llamas a una agencia inmobiliaria para informarte. Construye un diálogo.

> **Modelo:** *Necesito un piso pequeño* **que** *tenga calefacción y mucha luz .*
>
> *Tenemos un piso pequeño* **que** *tiene mucha luz pero que no tiene calefacción.*

6. Inventa un anuncio imaginario, con mucho humor, para buscar a tu pareja "ideal".

Busco
a una persona
que sea...

8. Te ofrecemos a continuación la definición de seis tipos de "enfermedades" ocasionadas por la adicción a la televisión. Léelas atentamente y transforma en oraciones de relativo aquéllas que no lo sean. ¿Conoces a alguien que presente uno de estos cuadros clínicos?

7. Con un diccionario podéis realizar un juego divertido y al mismo tiempo practicar los relativos. Uno de vosotros ha de buscar una palabra extraña en el diccionario y leerla en voz alta. Todos escriben una definición posible, divertida pero creíble. Luego se leen todas, mezcladas con la verdadera, y se vota. Quien la descubre gana dos puntos, y se gana un punto por cada voto a una definición falsa

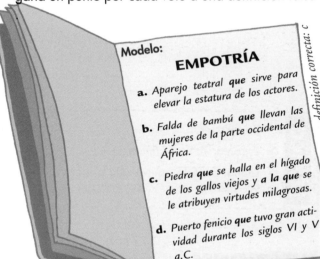

Modelo:

EMPOTRÍA

a. Aparejo teatral **que** sirve para elevar la estatura de los actores.

b. Falda de bambú **que** llevan las mujeres de la parte occidental de África.

c. Piedra **que** se halla en el hígado de los gallos viejos y **a la que** se le atribuyen virtudes milagrosas.

d. Puerto fenicio **que** tuvo gran actividad durante los siglos VI y V a.C.

definición correcta: c

ZAPPINITIS
Padecen este síndrome aquéllos que no dejan en paz el mando del televisor buscando incansables algo que nunca encuentran.

VIDEOPÍA
En este grupo están los miopes que creen que la realidad está en el objetivo de la cámara.

TELE MANÍA
Su único tema es la televisión: lo que han visto, lo que ven y lo que verán.

GULA ÓPTICA
Pueden mirar la pantalla horas y horas. Su interés es el mismo ante una película o un informativo.

ROSAFILIA
Estos "enfermos" creen que la vida es una novela rosa. Sus programas preferidos son los culebrones.

INFOMANÍA
Intentan vivir de titulares y quieren sacar conclusiones rápidas de todo.

TEXTOS

Érase un zapallo que crecía solitario en las ricas tierras del Chaco. Favorecido por una zona especial que le daba de todo, los primeros colonos que lo vieron se espantaron, pues ya entonces pesaba varias toneladas y aumentaba de volumen por momentos. Ya medía una legua de diámetro cuando llegaron los primeros hacheros para cortarle el tronco, que ya tenía doscientos metros de circunferencia. Cundía el pavor. Comienza a divisarse desde Montevideo, y se apresta a beber el Río de la Plata.

Como no hay tiempo de reunir una conferencia panamericana, cada uno propone una solución. Se piensa en hacer crecer otro zapallo en el Japón, y mimarlo para apresurar su crecimiento, hasta que se encuentren y se destruyan entre sí. Los científicos dan sus opiniones, los niños están encantados, las señoras se emocionan, los agrimensores se entusiasman y hay una cocinera que lo examina, retirándose una legua por día, y un serrucho que se siente inútil. Frente a la facultad de medicina hay alguien que sugiere purgarlo. Pero llega el momento en que lo que más conviene es meterse en él con precipitación, aunque se olvide el reloj o el sombrero en alguna parte y apagando previamente el cigarrillo, porque ya no va quedando mundo fuera del zapallo.

Macedonio Fernández (Argentina)
El zapallo que se hizo cosmos

LÉXICO

- **Zapallo:** *Pan., Col., Ven. y And.:* calabaza.
- **Espantarse:** sentir miedo.
- **Legua:** medida equivalente a más de cinco kilómetros.
- **Hachero:** el que trabaja con el hacha.
- **Cundir:** extenderse.
- **Purgar:** purificar, limpiar.
- **Agrimensor:** experto en medir tierras.

CUESTIONES

I.

- ¿Dónde se desarrolla la acción?

  Localiza en un mapa los tres nombres geográficos que hay en el texto.

II.

- Encuentra los relativos del texto y reflexiona sobre su construcción. Haz lo mismo con los dos usos de **cuyo** presentes en el texto de la unidad 1. También, si quieres, puedes realizar prácticas con los relativos de los textos correspondientes a las unidades 5 y 8.

- Explica el uso del verbo que inicia la narración; puedes ayudarte con los cuadros gramaticales de la unidad 1.

- Justifica los usos de **se**.

III.

- Busca un conjunto de palabras relacionadas por su significado con cada una de las siguientes:

Rico ➡ *riqueza, pobreza, dinero...*

Zona ➡

Mimar ➡

Sombrero ➡

Sugerir ➡

Cigarrillo ➡

- Explica el significado de **dar de todo** y **dar su opinión**. Después, construye frases con las siguientes expresiones basadas en el verbo **dar**:

  – **Dar calabazas**, *C.A.* dar ayotes; *And.* dar opio ➡ romper relaciones con la pareja.
  – **Dar gato por liebre**, *Méx.* hacerle guaje a uno; *Ch.* pasársela a uno ➡ engañar.
  – **Dar la lata**, *Méx.* poner gorro; *Col.* poner pereque ➡ molestar.
  – **Darse aires**, *Méx.* darse mucho taco; *Ch.* botarse el pucho; *Ec.* darse paquete ➡ considerarse muy importante.

Trato ahora de encerrar en breves líneas la historia de la vieja Tienda de Muñecos de mi abuelo, que después pasó a manos de mi padrino, y de las de éste a las mías. A mis ojos posee esta tienda el encanto de los recuerdos de familia; para acordarme de mis antepasados, me basta pasear la mirada por los estantes donde están los viejos muñecos, con los cuales nunca jugué. Desde pequeño me acostumbraron a mirarlos con seriedad porque, decían, les debíamos la vida. Yo no podía considerar con ligereza a aquéllos a quienes debíamos el don de la existencia.

Muerto mi abuelo, mi padrino tampoco me dejó jugar con los muñecos, que permanecieron en los estantes de la tienda sometidos a una estricta jerarquía, sin que jamás pudieran codearse los plebeyos con los aristocráticos. Mi padrino los trataba con dureza a fin de evitar la anarquía y procuró enseñarme los principios en que se había educado. En cuanto a Heriberto, el mozo, creía que no tenía más sesos que los muñecos a cuyo comercio había dedicado su vida. Así transcurrieron largos años, hasta que mi padrino empezó a sentir que llegaba su hora.

Julio Garmendia (Venezuela)
La tienda de muñecos

LÉXICO

- **Estante:** mueble con anaqueles y sin puertas.
- **Estricto:** riguroso, exacto.
- **Codearse:** tener trato de igual a igual una persona con otra.
- **Plebeyo:** persona que no es noble.

CUESTIONES

I.

- Inventa un final fantástico para este fragmento en veinte líneas.

II.

- Sustituye los relativos del texto por otros, sin que se modifique el significado.

- Observa la construcción **sin que** *jamás pudieran*. Tiene valor modal y se construye siempre con subjuntivo. Inventa tres ejemplos que la incluyan, con distintos tiempos verbales.

- *Muerto mi abuelo* puede sustituirse por *después de morir mi abuelo*. Es una construcción de origen latino con valor temporal y bastante frecuente en la lengua escrita. Intenta formar algunas frases que tengan esa estructura.

III.

- Explica el significado de **padrino** y luego haz un listado de términos que indiquen relaciones familiares.

- Deduce el significado de los derivados **ligereza** y **dureza**.

- Busca otras palabras que presenten la misma terminación.

LA TELEVISIÓN

Lee las siguientes preguntas e intenta comprender todo su vocabulario. Luego, escucha atentamente el texto de esta sección y contéstalas, eligiendo sólo una de las tres opciones que se ofrecen.

1. El televisor es:
- ❑ **A.** una máquina tragaperras
- ❑ **B.** un medio de evasión
- ❑ **C.** ambas, A y B

2. Están *enganchados* aquéllos que:
- ❑ **A.** no pueden renunciar al sofá preferido
- ❑ **B.** devoran ensaladas
- ❑ **C.** no pueden escapar a la atracción del televisor

3. La lectura de un libro:
- ❑ **A.** invita a participar
- ❑ **B.** lo da todo hecho
- ❑ **C.** crea situaciones imaginarias

4. Los teleadictos:
- ❑ **A.** viven las fantasías de otros
- ❑ **B.** están hechizados
- ❑ **C.** viven emocionados

5. Quien padece esta nueva enfermedad:
- ❑ **A.** es completamente inofensivo
- ❑ **B.** no lo reconoce
- ❑ **C.** abusa de ella

DEBATE

REUNIDOS EN DOS GRUPOS, PREPARAD LISTAS DE ARGUMENTOS QUE DEFIENDAN Y ATAQUEN, RESPECTIVAMENTE, LOS EFECTOS DE LA TELEVISIÓN.

Subjuntivo IV.
Oraciones causales, consecutivas, finales y modales

11

SITUACIONES

1. La conjunción causal más usada es *porque*, pero hay muchas otras. ¿Cuáles conoces? ¿Son sustituibles por la del texto?

> *"Más que ningún otro de sus contemporáneos, Gorky, en el dibujo, se nos aparece casi tan complejo como en sus cuadros, entre otras cosas, porque la suya es casi siempre una pintura que le concede un enorme protagonismo al gesto"*

2. *Porque* va seguido de un verbo en indicativo, pero *no porque* exige el verbo en subjuntivo. Construye oraciones con esta estructura.

3. Las conjunciones consecutivas suelen ir seguidas de indicativo, excepto *de ahí que*, que va seguida de subjuntivo. Construye frases con las siguientes:

· tanto que ·   · así que ·   · por lo tanto ·   · de manera que ·

> Era tanto el horror y tanta el hambre que mi único sueño era morirme cuanto antes, pero con el estómago lleno

> No es que el libro sea malo del todo, sino demasiado simple; resulta más apasionado que científico, y tan eufemístico que recuerda más las máscaras del "Diario" de la Nin que la "desnudez" de sus cartas a Henry Miller.

4. Las oraciones que expresan finalidad ofrecen dos estructuras básicas:

para + infinitivo
para que + subjuntivo

¿Sabrías decir cuándo se usa cada una de ellas?

> ¿Qué es lo que ha ocurrido para que el pequeño comercio, que era capaz de vender a todo el barrio, se haya quedado sin clientes en pocos años?

> El progresivo acceso de la mujer al mercado de trabajo se ha conjugado con una mayor disponibilidad de vehículo propio y un mayor aprecio al tiempo libre para alejar a los consumidores de los establecimientos que no ofrecen un horario flexible.

5. *Según*, *como* y *como si* son las principales conjunciones que expresan el modo como se realiza la acción. Analiza los casos que te ofrecemos:

> Llega un momento en la vida de toda persona en que se plantea la gran duda: ¿Es la vida un algo más que dejarse el cerebro en la oficina, las cejas en el vídeo y la piel haciendo footing como si alguien le estuviese persiguiendo?

¡¡¡ESOS DIBUJOS DEBEN ESTAR COMO SEA PARA MAÑANA!!!

GRAMÁTICA

11.1. ORACIONES CAUSALES

- Expresan el motivo o causa de la acción del verbo principal.

- *CONJUNCIONES:*

> *porque, por, puesto que, ya que, como...*

USOS

- ***POR** + INFINITIVO:*

  La penalizaron por llegar siempre tarde al trabajo.

- ***PORQUE, PUESTO QUE, YA QUE, COMO** + INDICATIVO:*

  Se enfadó porque nadie le hacía caso.
  Puesto que para ti es muy importante, aceptaré tu invitación.
  Ya que te empeñas, me comeré uno de esos pasteles.
  Como no me interesaba el acto, no asistí.

- ***NO PORQUE** (NO) + SUBJUNTIVO:*

  Lo hago porque quiero, no porque me obliguen.
  No iré al teatro, no porque no me apetezca, sino porque tengo un compromiso.

Pon el infinitivo en el tiempo y modo adecuados.

1. Puesto que no me (invitar, ellos) *han invitado* no iré a la fiesta.
2. Le dolía la cabeza, no porque (beber) *bebiera*, sino porque (estar) *estaba* enfermo.
3. Ya que no (querer, vosotros) *queréis* salir, saldré yo sola.
4. Como no te (gustar) .... ese grupo musical, no te invitamos al concierto.
5. Me multaron ayer por (pasar) .... el límite de velocidad.
6. Iré mañana a comprar la revista, porque ahora ya (cerrar) .... la tienda.
7. Me quedaré trabajando hasta tarde, no porque me lo (exigir) .... la empresa, sino porque (tener, yo) .... mucho trabajo atrasado.
8. Voy a salir porque (estar, yo) .... aburrida.
9. Lo detuvieron por (conducir) .... borracho.
10. Puesto que tú me lo (pedir) ...., bajaré contigo.
11. Estoy aquí porque me (obligar, ellos) ...., no porque me (gustar) .... tu compañía.
12. Como no (estudiar, yo) .... lo suficiente, tengo que repetir el examen.

13. *Ya que (venir, tú)* .... *hasta aquí, vamos a tomar algo.*

14. *Estoy muy preocupado porque no me (llamar, ellos)* .... *todavía.*

15. *Eso te pasa por (confiar, tú)* .... *en todo el mundo.*

16. *No creo que vuelva, porque (llevarse, ella)* .... *todas sus cosas.*

17. *Como (quedarse, tú)* .... *dormido, me puse a trabajar.*

18. *Ya que (tener, tú)* .... *tanta prisa, intentaré acabar pronto.*

19. *Hoy no comeré aquí, no porque no (tener)* .... *hambre, sino porque no me (gustar)* .... *el menú.*

20. *Eso te pasa por (ser, tú)* .... *tan despistado.*

11.2. ORACIONES CONSECUTIVAS

- Expresan el resultado de la acción del verbo principal.

- *CONJUNCIONES:*

> **tanto que, tan...que,**
> **de tal manera / modo / forma que,**
> **así que, por lo tanto, por consiguiente, luego, de ahí que...**

USOS

- *TANTO QUE + INDICATIVO*
  TAN + ADJETIVO / ADVERBIO + QUE + INDICATIVO
  DE (TAL) MODO / FORMA / MANERA + QUE + INDICATIVO:

> *Comió tanto que enfermó del estómago.*
> *Trabajaba tan bien que la ascendieron.*
> *Era tan fantástico que no podía creerlo.*
> *Trabajaba de tal manera / modo / forma que todos lo admiraban.*

Nota. Estas conjunciones añaden un matiz de intensidad a la acción y van con verbos en subjuntivo cuando el verbo principal va en imperativo:

> *Vete muy temprano, de manera que nadie llegue antes que tú.*

- *ASÍ QUE, POR LO TANTO, POR CONSIGUIENTE, LUEGO + INDICATIVO:*

> *Ya apareció la llave perdida, así que no debes preocuparte más.*
> *Es un mentiroso; por lo tanto, no debes creer nada de lo que dice.*
> *Hay mucha niebla; por consiguiente, la visibilidad será mínima.*
> *Su chaqueta aún está aquí, luego él no se ha ido todavía.*

- *DE AHÍ QUE + SUBJUNTIVO:*

> *Es muy bondadosa; de ahí que todos la quieran.*

Sustituye el verbo entre paréntesis por una forma verbal adecuada.

1. Habla tanto que nunca (escuchar, yo) _escucho_ lo que dice.
2. Ya he comprado todo lo necesario para estas vacaciones, así que no (deber, tú) _debías_ preocuparte por nada.
3. Hace mucho frío así que (tener, vosotros) _tenéis_ que llevar el abrigo.
4. Es muy tímida; de ahí que no (tener) _tiene_ amigos.
5. No ha sido nada grave; por lo tanto, no (deber, tú) _____ preocuparte.
6. Tenía tanta imaginación que (decidir) _____ escribir una novela.
7. Se comportó de tal manera que todos (pensar) _____ que estaba borracho.
8. Está loco; por lo tanto, no (deber, tú) _____ hacerle mucho caso.
9. Escribía de tal forma que nadie (entender) _____ su letra.
10. Se rompió el brazo, así que la (llevar, nosotros) _____ al hospital.
11. Está un poco sordo; de ahí que no te (oír) _____ cuando llegaste.
12. Ya se solucionó todo, así que no (llorar, tú) _____ más.
13. Es muy buena la comida de ese restaurante; de ahí que todas las noches (estar) _____ lleno.
14. Ella anda muy despacio; por lo tanto (llegar, nosotros) _____ tarde.
15. Era tan divertido que siempre lo (invitar, ellos) _____ a todas las fiestas.
16. Ya no vamos al cine, luego no (ser) _____ necesario que te vistas.
17. Está muy mal la economía; de ahí que (haber) _____ tanto paro.
18. Comeremos pronto, así que no te (retrasarse, tú) _____ mucho.
19. Llegamos tarde; por consiguiente, (perder, nosotros) _____ el tren.
✷20. Hoy no tengo clase, de ahí que (levantarse, yo) _____ tarde.
21. Yo no puedo ir, luego (tener) _____ que ir tú por mí.
✷22. Está muy enfermo; de ahí que no (ir, él) _____ a trabajar.
23. Se fue hace tiempo, luego (estar, él) _____ a punto de llegar.
24. Ya estamos todos, así que (poder, nosotros) _____ empezar.
✷25. Sal por otra puerta, de manera que nadie (enterarse) _____ .
26. No comeré en casa, así que no (tener, tú) _____ que preparar nada.
27. La película es muy mala, por consiguiente no (ir, nosotros) _____ a verla.
✷28. Da todo lo que tiene, de ahí que ellos la (querer, ellos) _____ tanto.
29. Mi chaqueta está limpia, luego no (haber) _____ que lavarla.
30. Estaba tan cansada que no (conseguir, ella) _____ dormir.

11.3. ORACIONES FINALES

- Expresan el destino o finalidad de la acción del verbo principal.

- *CONJUNCIONES:* _____

> **para (que), a fin de (que), con vistas a (que),
> con la intención de (que), con el objeto de (que)...**

USOS

- *PARA, A FIN DE, CON VISTAS A, CON LA INTENCIÓN DE, CON EL OBJETO DE + INFINITIVO* (cuando tenemos un mismo sujeto para los dos verbos):

    Vino con el objeto de convencerme.

- *PARA QUE, A FIN DE QUE, CON VISTAS A QUE, CON LA INTENCIÓN DE QUE, CON EL OBJETO DE QUE + SUBJUNTIVO* (cuando los dos verbos tienen sujetos diferentes):

    Antes de viajar a África se vacunó, a fin de que no le contagiaran ninguna enfermedad.

- *A (QUE)* aparece con verbos de movimiento como *ir* o *venir*, y sigue las mismas reglas sobre los sujetos:

    Iré a la secretaría a que me informen de esto.   *Vengo a ayudarte.*

Nota. Hay verbos que admiten indistintamente subjuntivo o infinitivo, a pesar de que el sujeto sea diferente:

    La llamaron para que explicara el malentendido.
    La llamaron para explicar el malentendido.

Sustituye el infinitivo entre paréntesis por una forma verbal adecuada.

1. *Te lo comento para que me (dar)* .... *tu opinión.*
2. *Le traigo estas revistas para que no (aburrirse, él)* ....
3. *Llamaron con la intención de (convocar, ellos)* .... *una reunión.*
4. *Iremos a la oficina de turismo a (recoger, nosotros)* .... *los billetes.*
5. *Te acompaño a fin de que me (contar, tú)* .... *lo sucedido.*
6. *Aprendo español con el objeto de (completar, yo)* .... *mis estudios.*
7. *Me dijo lo que sabía con la intención de que me (sentir)* .... *mejor.*
8. *Habrá organizado la reunión con vistas a que (conocerse, ellos)* ....
9. *Venimos a (tomar)* .... *un café.*
10. *La llamé para (decir, yo a ella)* .... *que terminara su informe.*
11. *Hablamos con el director con el objeto de que (poder, él)* .... *disculparnos.*
12. *Leeremos estos libros para (estar, nosotros)* .... *más informados.*
13. *Vengo a que me (decir, tú)* .... *la verdad.*
14. *Habría vuelto para que (quedarse, ella)* .... *más tranquila.*
15. *Retrasaron la cena a fin de que (ir, ellos)* .... *todos.*
16. *Es el mejor camino para (escapar)* .... *del tráfico.*
17. *Iré al despacho a que me (dar, él)* .... *una respuesta.*
18. *Nos acompaña a fin de que no (equivocarse, nosotros)* .... *de camino.*
19. *Llamaré al médico para que nos (decir)* .... *lo que tienes.*
20. *Vendrán esta tarde a (despedirse)* .... *de nosotros.*

11.4. ORACIONES MODALES

- Expresan la manera como se realiza la acción del verbo principal.

- *CONJUNCIONES:*

> **como si, como, según...**

USOS

- **COMO SI** + IMPERFECTO o PLUSCUAMPERFECTO de SUBJUNTIVO:

  Este teléfono funciona muy bien. Te oigo como si estuvieras aquí.
  Se comportaba como si no hubiera pasado nada.

- **COMO / SEGÚN** + INDICATIVO/SUBJUNTIVO:

  – como, según + **indicativo** (idea de presente o pasado): *Realizó el trabajo según le indicaron.*

  – como, según + **subjuntivo** (idea de futuro): *Lo haré como pueda.*

Pon el infinitivo en el tiempo y modo adecuados; si hay varias posibilidades, explica el matiz de cada una.

1. *Nos miraba como si no nos (conocer)* ....
2. *Haz el trabajo como te (decir)* .... *el profesor.*
3. *Parece como si (estar, ellos)* .... *enfadados con vosotros.*
4. *Convéncela como (ser)* ...., *pero convéncela.*
5. *Actuaré según (ver, yo)* .... *la situación.*
6. *Esta tarde he hablado con él y se comportaba como si no (pasar)* .... *nada.*
7. *Alimentaré al perro según me (decir)* .... *el veterinario.*
8. *Nos recibió como si nos (conocer)* .... *de toda la vida.*
9. *Conduciré como me (parecer)* .... *mejor.*
10. *Lo hacía como si lo (hacer)* .... *siempre.*

Completa libremente las siguientes frases.

11. *Es tan* .... *que* ....
12. *Ven* .... *para que* ....
13. *Nos trataba como si* ....
14. *Saldré contigo porque* .... *y no porque* ....
15. *Puesto que* ...., *no* ....
16. *Irán* .... *a que* ....
17. *Hablaba* ...., *como si* ....
18. *Estoy aquí porque* ...., *no porque* ....
19. *Habrá* ....; *de ahí que* ....
20. *Lo haré como yo* .... *y no como ellos* ....

ACTIVIDADES

1.

Expresa la causa de las siguientes situaciones:

- *Normalmente eres una persona muy alegre, pero últimamente estás de muy mal humor.*

- *Eres el presidente de una comunidad de vecinos y éstos no te hablan.*

- *Hace dos semanas que no tienes noticias de tus padres.*

- *Ahora siempre comes bocadillos.*

- *Hoy no puedes salir con ellos.*

2.

Extrae tus propias consecuencias teniendo en cuenta el título del siguiente texto. Utiliza todas las conjunciones consecutivas que conozcas:

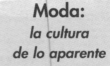

Moda:
la cultura de lo aparente

La capa de superficialidad y sensualidad que envuelve el universo de la moda encierra una realidad mucho más profunda. Eficaz instrumento socializador, importante medio de expresión, poderoso creador de opinión, la moda es además un negocio que, sólo en España, movió el año pasado cientos de millones de euros.

3.

Mira la siguiente viñeta y saca las consecuencias oportunas:

4.

¿Cuál es la finalidad de los siguientes anuncios publicitarios? No olvides utilizar las construcciones finales que conozcas. Realiza la misma actividad con otros anuncios que encuentres.

BRONCÉATE SIN ESPERAR AL SOL

Bebe **KLONG.** Comerás menos.

5. Dibuja todas las señales de tráfico que recuerdes y explica para qué sirven.

6. Expresa con estructuras consecutivas, finales y causales la manera que tienen tus amigos de comportarse cuando:

- *beben mucho.*
- *están en una fiesta.*
- *están en clase.*
- *tienen dificultades.*
- *tienen mucho trabajo.*
- *están nerviosos.*

7. Expresa causa, finalidad y consecuencia ante la siguiente situación:

TEXTOS

1. Lloran los gatos en la noche porque hubieran querido ser, en vez de gatos, niños.

2. El agua se suelta el pelo en las cascadas.

3. Las mujeres pasan el peine insistentemente sobre sus cabellos, como si quisieran lograr la desmemoria.

4. "Pan" es palabra tan breve para que podamos pedirlo con urgencia.

5. El ombligo es para que le salga el agua al ahogado, pero nunca cumple su misión.

6. El hombre se va convirtiendo en murciélago porque va a volar en la noche eterna.

7. La mujer mira al elefante como si lo quisiera planchar.

8. Era tan moral que perseguía las conjunciones copulativas.

9. La q es la p que vuelve de paseo.

10. Era tan celoso que ya resultaba proceloso.

11. El pez más difícil de pescar es el jabón dentro del agua.

12. En otoño deberían caer todas las hojas de los libros.

13. La castañera asa los corazones del invierno.

14. Cuando la mujer pide ensalada de frutas para dos, perfecciona el pecado original.

15. El león daría la mitad de su vida por un peine.

16. La cabeza es la pecera de las ideas.

17. Las manillas del reloj se mueven como si fueran arañas que atrapan nuestras horas.

18. En las mandarinas se esconde la dulce infancia de las naranjas.

19. La luna por el lado nuestro ve, pero por el otro sueña.

20. Tormenta: se vierte el tintero de Dios.

21. El 8 es el reloj de arena de los números.

22. La tortuga pone huevos esperando gaviotas, pero sólo le salen tortuguitas.

23. La bombilla que se funde tiene un momento de luz de luna.

Ramón Gómez de la Serna (España)
Greguerías

LÉXICO

- **Cascada:** despeñadero de agua.
- **Murciélago:** mamífero parecido al ratón pero con los dedos unidos por una membrana que le permite volar.
- **Proceloso:** tempestuoso, borrascoso.
- **Copular:** unirse el macho y la hembra para la procreación.
- **Copulativo:** que ata o une.

CUESTIONES

I.

- Estos textos breves se llaman greguerías. Su autor define el género, de su invención, como la suma de metáfora y humor. Intenta explicar cada una de ellas a partir de ese esquema e inventa tú mismo tres greguerías.

II.

- Encuentra las oraciones causales, consecutivas, modales y finales, y analízalas. Transforma las que no presentan ninguna de esas construcciones de modo que sí la tengan.

  > **MODELO:** *2. Parece que el agua se suelta el pelo en las cascadas **porque** el agua que cae se asemeja a una cabellera.*

- Explica el uso del subjuntivo en la primera greguería. Puedes acudir al esquema gramatical de la unidad 7.

- Vuelve al texto de la unidad 3 y analiza las estructuras consecutivas, finales y causales que en él se encuentran.

III.

- Explica el significado de **desmemoria** y *castañera*.

- ¿Por qué se antepone el adjetivo en la greguería 18?

- La diferencia entre ***pelo*** y ***cabello*** es estilística. Imagina algunos contextos para uno y otro sustantivo.

- Intenta dar el significado de las siguientes palabras sin usar el diccionario:

  Gato ➡
  Noche ➡
  Pecado ➡
  Hora ➡
  Naranja ➡

- Explica el juego de palabras de las greguerías 8 y 10.

LENGUA Y SOCIEDAD

Lee las siguientes preguntas e intenta comprender todo su vocabulario. Luego, escucha atentamente el texto de esta sección y contéstalas, eligiendo sólo una de las tres opciones que se ofrecen.

1. En Uruguay se ha rechazado:

❑ **A.** que se incluya *coger* en el Diccionario de la Real Academia Española de la Lengua (DRAE)

❑ **B.** que se enriquezca el DRAE con nuevas acepciones

❑ **C.** que se incluya cierta acepción de *coger* en el DRAE

2. Un americanismo es:

❑ **A.** una persona de América

❑ **B.** una palabra del español de América

❑ **C.** una acción proveniente de América

3. Los españoles que llegan a Montevideo o Buenos Aires son:

❑ **A.** objeto de burla por su uso de *coger*

❑ **B.** objeto de una curiosa polémica

❑ **C.** víctimas de una prohibición

4. *Coger* significa en el Río de la Plata:

❑ **A.** agarrar

❑ **B.** hacer el amor

❑ **C.** ser amablemente advertido

5. En el Río de la Plata, probablemente, esa acepción que ha aceptado el DRAE:

❑ **A.** será admitida

❑ **B.** será sustituida por sociólogos y filósofos

❑ **C.** nunca se considerará respetable

DEBATE

ESE SIGNIFICADO ESPECIAL DE "COGER" SE DA TAMBIÉN EN MÉXICO, CHILE, VENEZUELA Y COLOMBIA. ¿CONOCES TÚ ALGUNA OTRA PALABRA "TABÚ"?

CONVERSA SOBRE LAS DISTINTAS CARACTERÍSTICAS QUE TIENE EL ESPAÑOL DE LOS DIFERENTES PAÍSES Y REGIONES.

Subjuntivo V.
Oraciones temporales, concesivas y condicionales

SITUACIONES

1. Comprueba la siguiente regla:

Cuando + *ACCIÓN HABITUAL O PASADA* ➡ **INDICATIVO**

Cuando + *ACCIÓN FUTURA* ➡ **SUBJUNTIVO**

> ME PREGUNTO SI CUANDO TERMINE ESTE TRABAJO ALGUIEN QUERRÁ VERLO

2. ***Antes de que*** exige después un verbo en subjuntivo. Construye frases como la que sigue:

> TENGO QUE LIMPIAR TODO EL BAR ANTES DE QUE LLEGUE MI JEFA

3. Constata la siguiente regla en los textos:

Aunque, a pesar de que + *HECHO COMPROBADO* ➡ **INDICATIVO**

Aunque, a pesar de que + *HECHO NO COMPROBADO* o cuya veracidad no importa ➡ **SUBJUNTIVO**

AUNQUE PAREZCA MENTIRA EL CÁNCER SE PUEDE EVITAR

Es el virus más terrible de la historia y, al mismo tiempo, el que mejor conocen los científicos aunque todavía no hayan logrado dominarlo

Aunque los cauces de algunos ríos hasta ahora secos subieron espectacularmente su nivel, no se produjeron daños a excepción de algunos problemas de circulación en ciudades como Cartagena

4. Señala todas las estructuras condicionales *(si, salvo que...)* de los siguientes textos y estudia detenidamente las relaciones temporales que presentan. Intenta crear una frase con cada una de ellas.

Si usted cree que en el mundo sólo hay siete maravillas, vuelva a contar

Si "Thelma y Louise" la hubiera rodado una mujer hubiera hecho un serio docudrama

Si estás pensando en comprar un nuevo televisor, un ordenador, un coche...

SUSCRÍBETE

"Es preciso insistir en el papel cultural de un sano mercado de arte y en la necesidad de incentivarlo, y para ello hay que tratar mejor a todos sus partícipes, salvo que queramos que nuestros artistas se tengan que ir al extranjero y sean cada vez menos los coleccionistas"

GRAMÁTICA

12.1. ORACIONES TEMPORALES

- Expresan una indicación de tiempo en relación con la acción del verbo principal.

- *CONJUNCIONES Y LOCUCIONES:* _____

> **al, antes de, después de, nada más, antes de que, ahora que,**
> **mientras, mientras tanto, cuando, cada vez que, siempre que, hasta que...**

USOS

- **AL, ANTES DE, DESPUÉS DE, NADA MÁS** + *INFINITIVO:*

> *Nada más oírlo, se echaron a reír.*
> *Después de ganar las elecciones, se propuso cumplir todas sus promesas.*
> *Antes de desayunar, siempre tomo un zumo de naranja.*

- **ANTES DE QUE** + *SUBJUNTIVO:*

> *Escondió todo antes de que vinieran los demás.*

- **AHORA QUE, MIENTRAS TANTO** + *INDICATIVO:*

> *Ahora que ya no hace gimnasia, está subiendo de peso.*

- **CUANDO, CADA VEZ QUE, SIEMPRE QUE, HASTA QUE, MIENTRAS** + *INDICATIVO / SUBJUNTIVO.* Van con indicativo cuando la acción es pasada o presente, y con subjuntivo cuando es futura:

> *En cuanto llegue, me daré una ducha.*
> *En cuanto llegó, se fue a dormir.*
> *En cuanto llega, enciende la televisión.*

Pon el verbo entre paréntesis en la forma adecuada.

1. *Recogeremos todo antes de que (llegar)* .... *tus padres.*

2. *Cuando (viajar, yo)* .... *en coche, siempre me mareo.*

3. *Cada vez que (salir, ellos)* .... *juntos, discuten.*

4. *Siempre que (acostarse, yo)* .... *temprano, suena el teléfono.*

5. *Escúchame, antes de (contestar, tú)* .... *precipitadamente.*

6. *Fumarás cuando (irse, yo)* .... *de aquí.*

7. *Mientras no (demostrar, ellos)* .... *lo contrario, lo consideraré inocente.*

8. *Tengo que hablar con él antes de que (marcharse, él)* .... *de viaje.*

9. *Ayer, cuando (hacer, ella)* .... *la cena, se quemó.*

10. *Voy a recoger el coche, mientras (arreglarse, tú)* ....

11. Lo reconocí nada más (escuchar) .... su voz.

12. Nos veremos con frecuencia ahora que (vivir, vosotros) .... en la ciudad.

13. Te esperaré hasta que (salir) .... de trabajar.

14. Avisaron al médico antes de que (ser) .... tarde.

15. Ahora que (estar, tú) .... mejor, intenta comer un poco más.

16. Cuando lo (necesitar, tú) .... , te ayudaremos.

17. Mientras tú (comprar) .... el periódico, yo compraré el pan.

18. Después de (hablar, yo) .... con ella, me quedé más tranquilo.

19. No podré salir hasta que (llegar) .... mi sustituta.

20. Me llama cada vez que (tener, ella) .... un problema con la cámara.

21. Vendrá el electricista después de (comer, nosotros) ....

22. Cada vez que (salir, ella) .... de compras, me regala algo.

23. Ahora que no (buscar, yo) .... trabajo, me llaman continuamente.

24. Se puso a llover nada más (entrar, nosotros) .... en el teatro.

25. Cuando (venir, ellos) .... a la ciudad, siempre nos llaman.

26. Después de (cenar, nosotros) .... , llegarán tus amigos.

27. Ahora que no (tener, yo) .... nada que hacer, tomaremos café.

28. Cuando le (dar, tú) .... el regalo, se pondrá muy contenta.

29. Voy al campo siempre que (poder, yo) ....

30. Me di cuenta al (llegar, yo) .... de que había ocurrido algo.

12.2. ORACIONES CONCESIVAS

- Expresan una objeción al cumplimiento de la acción del verbo principal.

- *CONJUNCIONES:*

> **aunque, a pesar de que, por mucho que, por poco que...**

USOS

- ***AUNQUE, A PESAR DE QUE, POR MÁS QUE, PESE A QUE** + INDICATIVO / SUBJUNTIVO:*

    – usamos el indicativo cuando nos referimos a un hecho experimentado o conocido:

    Aunque es un pesado, tiene un corazón de oro.

    – usamos el subjuntivo cuando nos referimos a un hecho que no hemos comprobado o que no nos importa:

    Aunque tenga un corazón de oro, me parece que es insoportable.

- *POR MUCHO QUE, POR POCO QUE* + SUBJUNTIVO:

> *Por mucho que lo intentes, nunca lo conseguirás (=aunque lo intentes muchas veces...).*
>
> *Por poco que te esfuerces, conseguirás tu objetivo (=aunque te esfuerces poco...).*

Pon el infinitivo en el tiempo y modo adecuados.

1. *Lo conseguimos, aunque (costar, a nosotros) .... bastante trabajo.*

2. *Por mucho que (insistir, tú) ...., no lo convencerás.*

3. *Trabajan juntos, aunque no se (hablar, ellos) ....*

4. *Por poco que (hacer, tú) ...., te lo recompensará.*

5. *No te bañes, aunque (salir) .... el sol; el agua está muy fría.*

6. *A pesar de que (saber, nosotros) .... que no cambiaría de opinión, le aconsejamos.*

7. *Aunque (estar, él) .... dormido, despiértalo.*

8. *Por mucho que (esconderse, tú) ...., te encontraré.*

9. *No se desanimó, aunque le (suspender) ....*

10. *No convencimos al policía, por mucho que le (suplicar) ....*

11. *Aunque (esforzarse, tú) ...., no conseguirás clasificarte.*

12. *Aunque (ser, él) .... muy joven, podrá trabajar con nosotros.*

13. *A pesar de que (comer, él) .... muchísimo, no engorda.*

14. *Por mucho que te (doler) ...., no te quejes.*

15. *Aunque (hacer, nosotros) .... huelga, no nos harán caso.*

16. *A pesar de que (estar, él) .... enfermo, vendrá a visitarte.*

17. *Aunque te (resultar) .... difícil, debes intentarlo.*

18. *Por mucho que (ayudar, tú) ...., no te lo agradecerán nunca.*

19. *A pesar de que (ganar, él) .... mucho dinero, no cambia de coche.*

20. *Aunque (ir, tú) ...., no te dejarán entrar.*

21. *Me tiene preocupado, por mucho que le (decir, nosotros) ...., no se anima.*

22. *Aunque nos (suplicar, ellos) .... que lo hagamos, les diremos que no.*

23. *Es muy inteligente a pesar de que (ser, él) .... muy despistado.*

24. *Por mucho que (entrenarse, él) .... no podrá ponerse en forma para ese día.*

25. *Te lo regalaré, aunque no te lo (merecer) ....*

26. *Sé que es buena persona, aunque no la (comprender, yo) ....*

27. *Aunque (discutir, ellos) .... a veces, son muy buenos amigos.*

28. *A pesar de que (tener) .... muchos años, sigue trabajando.*

29. *Por mucho que (gritar) .... no te oirá. Es sordo.*

30. *Aunque me (gustar) .... mucho ese traje, no me lo compraría; es demasiado caro.*

12.3. ORACIONES CONDICIONALES

- Son aquéllas que expresan una condición que debe cumplirse para la realización de la acción principal, de la que dependen.

- *CONJUNCIONES:* _____

> ***si, a menos que, excepto que, salvo que...***

USOS

- *SI + INDICATIVO / SUBJUNTIVO:*

  – **SI** + INDICATIVO: expresa acción probable. El indicativo sólo admite presente o pasado, nunca futuro o condicional:

    Si vienes, te invitaré a cenar / trae pan / podríamos pasear.

    Si ha venido Juan, dile que suba al despacho del director.

  – **SI** + SUBJUNTIVO: expresa un hecho improbable o imposible. Admite imperfecto y pluscuamperfecto; el otro verbo va en condicional simple o compuesto:

    Si vinieras (pero seguramente no vas a venir), te invitaría a cenar.

    Si hubieras venido (pero no lo hiciste), te habría invitado a cenar.

  Nota. Es frecuente en la lengua hablada el uso del pluscuamperfecto de subjuntivo en lugar del condicional compuesto:

    Si hubieras venido, te hubiera invitado a cenar.

- *A MENOS QUE, EXCEPTO QUE, SALVO QUE + SUBJUNTIVO:*

    A menos que se presente alguien en el último momento, el premio quedará desierto.

Sustituye el verbo entre paréntesis por el tiempo y modo adecuados.

1. *Cancelaremos la cita, si a ti no te (importar)* ....

2. *Si (tardar, vosotros)* .... *más, nos habríamos preocupado.*

3. *Voy a comprar un piso, a menos que no me (conceder, ellos)* .... *el préstamo.*

4. *Convocarán una huelga si (subir)* .... *los precios.*

5. *No me llames, salvo que te (retrasar)* .... *mucho.*

6. *Si (madrugar, nosotros)* .... *llegaríamos a tiempo.*

7. *Nunca habla con nadie, excepto que (querer)* .... *algo.*

8. *Cortarán la calle, a menos que lo (impedir)* .... *el alcalde.*

9. *Viene conmigo, si tú no (poner)* .... *ningún obstáculo.*

10. *Perderás una gran oportunidad si no te (presentar)* .... *al concurso.*

11. *Si (insistir, tú)* .... *te habrían hecho caso.*

12. *A menos que ellos no (estar)* .... *dispuestos a ir, asistiremos a esa conferencia.*

13. *Ganarán las elecciones, salvo que (hacer, ellos)* .... *una mala campaña electoral.*

14. *Si (encontrar, tú)* .... *el documento, dímelo en seguida.*

15. *Te ayudaré, si (tener)* .... *tanto interés.*

16. *Debes quedarte, a menos que no te (interesar)* .... *el tema.*

17. *Si (hablar, tú)* .... *en aquella sala, te habrían echado.*

18. *Si (seguir, él)* .... *tocando la guitarra despertará a todos los vecinos.*

19. *No me llames, a menos que (haber)* .... *algún cambio.*

20. *Conseguirás hacerte millonario, si (seguir)* .... *así.*

21. *Si no te (llamar, ellos)* .... *, será porque no quieren salir.*

22. *Salvo que (complicarse)* .... *las cosas, ganarán el partido.*

23. *Te lo prestaría, si (ser)* .... *mío.*

24. *No le pondrán la inyección, a menos que le (subir)* .... *la fiebre.*

25. *Llegaríamos antes, si no (haber)* .... *atascos en el centro.*

Construye oraciones condicionales con *si* teniendo en cuenta todas las posibilidades temporales.

MODELO: *Si viene, la invitaré a cenar.*

Si viene, la invito a cenar.

Si viniera, la invitaría a cenar.

Si hubiera venido, la habría invitado a cenar.

Si ha venido, la invitaré a cenar.

ACTIVIDADES

1. Lee el texto y localiza las oraciones condicionales. Luego, inventa preguntas hipotéticas para que tus compañeros las contesten.

"La maleta de Hemingway"

¿Perdió una vez Ernest Hemingway una maleta de cuero verde, con refuerzos de cobre en las esquinas, toda llena de manuscritos? ¿Qué ocurriría si alguien la encontrara y comenzase a publicar relatos inéditos, o el principio de una novela, sin decir que son de Hemingway? Otra vuelta de tuerca: ¿Qué ocurriría si alguien fingiera haberla encontrado y se pusiera a escribir como Hemingway y llegara a producir realmente algunas de las mejores páginas del autor? El novelista americano Mc Donald Harris, galardonado con el Award in Literature, ha construido, en esta su decimocuarta novela, una velocísima trama policiaca que se entremezcla con interesantes reflexiones y paradójicas preguntas en torno al sentido de la creación literaria.

2. Entrevista a alguien siguiendo el ejemplo. Luego saca conclusiones y escribe una composición sobre su personalidad.

MODELO: – *¿Si fueras actor, cuál serías?*
– *Antonio Banderas*

– *¿Y si fueras una ciudad?*
– *Granada*

3. Un compañero de la clase quiere dejar los estudios y ponerse a trabajar. Intenta convencerlo para que siga estudiando haciéndole las concesiones que creas convenientes.

MODELO: *Aunque estés pasando por un mal momento, no debes rendirte.*

4. ¿Por qué, en estas frases, **aunque** aparece una vez en indicativo y otra en subjuntivo? Piensa en alguien que conozcas y construye frases similares.

Es muy detallista, todo tiene que estar en su sitio, aunque luego no pesque nada.

Es muy divertido oírle tocar, aunque algunos prefieren que no lo haga.

5. Inventa un diálogo entre estos dos personajes que incluya las estructuras condicionales, concesivas y temporales estudiadas en esta unidad.

TEXTOS

...probemos a aclarar las cosas

por ejemplo
una mujer es buena
cuando canta desafinadamente los salmos
y cada dos años cambia el refrigerador
y envía mensualmente su perro al psicoanalista
y sólo enfrenta el sexo los sábados por la noche

en cambio una mujer está buena
cuando la miras y pones los perplejos ojos en blanco
y la imaginas y la imaginas y la imaginas
y hasta crees que tomando un Martini te vendrá el coraje
pero ni así

por ejemplo
un hombre es listo
cuando obtiene millones por teléfono
y evade la conciencia y los impuestos
y abre una buena póliza de seguros
que cobrará cuando llegue a los setenta
y sea el momento de viajar en excursión a Capri y a París
y consiga violar a la Gioconda en pleno Louvre
con la vertiginosa Polaroid

en cambio
un hombre está listo
cuando...

Mario Benedetti (Uruguay)
Ser y estar

LÉXICO

- **Desafinar:** desentonar o apartarse la voz de la perfecta afinación.
- **Perplejo:** dudoso.
- **Póliza de seguros:** documento que justifica un contrato de seguros.
- **Vertiginoso:** muy rápido, que causa vértigo.

CUESTIONES

I.

- Lee con atención este poema y reflexiona sobre las distinciones que establece entre los usos de *ser* y *estar* con los diferentes adjetivos o participios.

- ¿Qué valor puede tener la repetición de *la imaginas*?

- *Evadir impuestos* es una expresión frecuente, pero ¿qué puede significar *evadir la conciencia*?

- Termina tú el texto a tu manera. Busca además el significado de las palabras que no conoces, o dedúcelas del contexto. ¿Podrías dar el nombre de algún modelo real de los tipos sociales que aquí se retratan?

II.

- Halla y explica los distintos usos de *cuando*, con indicativo y subjuntivo, presentes en el poema.

- Relee el texto de Macedonio Fernández (unidad 10) y encuentra las dos construcciones temporales, con indicativo y subjuntivo, presentes en él. También puedes encontrar una con *aunque.* ¿Por qué va en subjuntivo?

III.

- Busca sinónimos para los siguientes vocablos:

refrigerador • buena • listo • enviar • coraje

Si el hombre pudiera decir lo que ama,
si el hombre pudiera levantar su amor por el cielo
como una nube en la luz;
si como muros que se derrumban,
para saludar la verdad erguida en medio,
pudiera derrumbar su cuerpo, dejando sólo la verdad de su amor,
la verdad de sí mismo,
que no se llama gloria, fortuna o ambición,
sino amor o deseo,
yo sería aquel que imaginaba;
aquel que con su lengua, sus ojos y sus manos
proclama ante los hombres la verdad ignorada,
la verdad de su amor verdadero.

Libertad no conozco sino la libertad de estar preso en alguien
cuyo nombre no puedo oír sin escalofrío;
alguien por quien me olvido de esta existencia mezquina,
por quien el día y la noche son para mí lo que quiera,
y mi cuerpo y espíritu flotan en su cuerpo y espíritu,
como leños perdidos que el mar anega o levanta
libremente, con la libertad del amor,
la única libertad que me exalta,
la única libertad por que muero.

Tú justificas mi existencia:
si no te conozco, no he vivido;
si muero sin conocerte, no muero, porque no he vivido.

Luis Cernuda (España)
Si el hombre pudiera decir

CUESTIONES

I.

- Haz un resumen del contenido del poema. Explica la siguiente paradoja:

Libertad no conozco sino la libertad de estar preso en alguien.

II.

- Extrae del texto las estructuras condicionales y explícalas.

- Hay en el texto numerosas oraciones de relativo con *que, quien* y *cuyo*. Reflexiona sobre su uso; puedes ayudarte con los cuadros gramaticales de la unidad 10.

III.

- Escribe dos listados con los sustantivos que se refieren a elementos físicos y espirituales presentes en el texto.

LA PUBLICIDAD

Lee las siguientes preguntas e intenta comprender todo su vocabulario. Luego, escucha atentamente el texto de esta sección y contéstalas, eligiendo sólo una de las tres opciones que se ofrecen.

1. Según el lema de la publicidad moderna:

- ❏ **A.** la mitad de las inversiones en publicidad son inútiles
- ❏ **B.** invertir en publicidad es tirar el dinero a la basura
- ❏ **C.** como la mitad de las inversiones en publicidad es inútil, hay que saber qué mitad vale para vender

2. Los posibles consumidores no recuerdan los anuncios porque:

- ❏ **A.** reciben demasiada información
- ❏ **B.** no destacan suficientemente
- ❏ **C.** los ven a lo largo de la semana

3. Según el director general de la empresa:

- ❏ **A.** cada anuncio lo recuerdan 50.000 personas
- ❏ **B.** lo importante no es que vean el anuncio sino que lo recuerden
- ❏ **C.** cada anuncio lo ven 90.000 personas, pero lo olvidan

4. Se recuerda más un anuncio presentado por:

- ❏ **A.** un cantante
- ❏ **B.** un deportista
- ❏ **C.** un personaje famoso

5. Las campañas intentan conseguir que:

- ❏ **A.** mucha gente recuerde los anuncios
- ❏ **B.** mucha gente vea los anuncios
- ❏ **C.** un número de gente vea un determinado anuncio

DEBATE

¿QUÉ PIENSAS DE LA PUBLICIDAD? ¿ES NECESARIA?

ARGUMENTA TU OPINIÓN.